La

griffe famagouste

Samuel E. Kenoi
Morris Opler

LA CHUTE
DE GERONIMO

Traduit de l'anglais par
Frédéric Cotton

ANACHARSIS

ISBN : 979-10-92011-42-5

Diffusion-distribution : Les Belles Lettres

La Chute de Geronimo a été publié par Morris Opler sous le titre
« A Chiricahua Account of the Geronimo Campaign of 1886 »,
New Mexico Historical Review, 13 (octobre 1938), p. 360-386

En couverture : Geronimo et ses deux nièces, d'après une photographie d'H. H. Clarke

Éditions Anacharsis
43, rue de Bayard
31000 Toulouse
www.editions-anacharsis.com

Au matin pendant qu'ils mangeaient ils virent au-delà des plaines quelque chose prendre forme dans le soleil levant très loin sur l'argile aux teintes d'acier du lac de sel. Au bout d'un moment ils virent que c'était un cavalier. Il était peut-être à un mile de distance et il approchait dans une succession de minces et tremblantes images qui augmentaient soudain de longueur là où le sol était submergé puis rétrécissaient et s'agrandissaient de sorte que le cavalier semblait s'avancer puis reculer puis repartir en avant.

Cormac McCarthy - *Le Grand Passage*

Geronimo l'Apache, le plus grand païen que ce continent ait jamais engendré est enfin parti au Pays Bienheureux des Chasses Éternelles, où il créera encore bien des ennuis. Dans les annales de l'espèce humaine, il n'y a pas de meilleur portrait d'une brute parfaite. S'il y a quelque chose de vrai dans la théorie de la transmigration des âmes, Geronimo doit avoir été la réincarnation d'un tigre du Bengale, encore que ce ne soit pas très gratifiant pour le tigre.

The Philadelphia Enquirer, 1909,
édition du jour de la mort de Geronimo

Notice

En 1897, un jeune homme se trouve en caserne à Fort Grant, en Arizona, dans le 7e de cavalerie, le fameux régiment du général Custer qui avait été exterminé en 1876 à la bataille de Little Big Horn. Il s'agit d'Edgar Rice Burrough, qui fera paraître les premiers épisodes de son *Tarzan* en 1912. De son séjour en Arizona, mollement à la recherche des derniers et hypothétiques « Apaches hostiles », il garde essentiellement le souvenir mitigé d'une période de dysenterie récurrente. Mais ce faiseur de légendes saura aussi exploiter son expérience de l'Ouest dans plusieurs romans participant à la montée en puissance du western comme genre cinématographique et littéraire au début des années 1930 : ce sera *The War Chief* (1927), puis *Apache Devil* (1933), deux romans qui mettent en scène les Apaches et, singulièrement, Geronimo. La littérature populaire se faisait là le relais d'une légende déjà ancienne et appelée à une très longue et tenace postérité.

Geronimo, avant que d'être un Apache Chiricahua parmi d'autres, est une légende de l'Ouest américain, un mythe né du vivant même de son héros. Qu'il s'agisse d'articles parus dans des journaux racistes et sensationnalistes tels que le *Tombstone Epitaph*, ou le *Tucson Citizen* des années 1880, qui le présentent pour la première fois comme un monstre assoiffé de sang, ou, plus tard, de Geronimo lui-même signant complaisamment des autographes (contre monnaie sonnante et trébuchante), ou encore dictant une histoire de sa vie dédiée (avec quelque ironie, peut-être) au président Théodore Roosevelt en 1906, Geronimo est un des tout premiers phénomènes médiatiques de masse. Le symptôme le plus évident en est la profusion de photographies que l'on connaît de lui, et qui le présentent sous toutes les coutures : voici « Geronimo en embuscade » – le « tigre humain », la plus célèbre de ses photos –, « Geronimo à cheval avec ses guerriers », Geronimo en « vieux sage » immortalisé par le fameux Edward S. Curtis[1], « Geronimo

---

1. Edward Sheriff Curtis (1868-1952) entreprit, au début du XXᵉ siècle, de photographier à travers tous les États-Unis les derniers représentants des « nations indiennes », convaincu qu'ils étaient destinés à disparaître. L'une de ses photos les plus célèbres porte d'ailleurs un titre programmatique : *The Vanishing Race*.

« *Le tigre humain* »
Photographie de George Benjamin Wittick, 1887

cultivant ses pastèques en Oklahoma », « Geronimo en famille », Geronimo posant – circonspect – aux côtés de son « vainqueur » le général Miles, ou enfin « Geronimo au soir de sa vie » à Fort Sill en Oklahoma... Durant tout le siècle dernier, le phénomène n'a fait que s'amplifier lorsque le cinéma, la littérature ou la bande dessinée se sont emparés de cette figure pour en abreuver l'imaginaire des foules [2].

Au fil du temps, d'abord construit comme sauvage sanguinaire, il devient tour à tour un guerrier farouche menant une lutte désespérée, l'ultime « résistant » face aux malversations des Blancs, un shaman visionnaire déchiré devant le spectacle de la disparition de son peuple, et finalement l'incarnation de l'Apache, le spartiate des déserts de l'Ouest, ultime porte-parole de tous les Indiens humiliés, et par extension, de tous les opprimés de la terre : une icône, à placer juste en dessous de celle d'Ernesto « Che » Guevara – non loin

---

2. L'un des tout premiers westerns cinématographiques, *Geronimo's Last Raid*, a été réalisé en 1912, soit juste trois ans après la mort de Geronimo ; mais, du roman *Pleure Geronimo* (*Watch for me on the Mountain*, 1978) de Forrest Carter, en passant par le *Geronimo l'Apache* de la bande dessinée « Blueberry » (1999), ou par *Le Fils de Geronimo* avec Charlton Eston (1952), ou bien plus récemment *Geronimo, an American Legend*, de Walter Hill en 1993, on parvient mal à recenser toutes les apparitions de Geronimo dans le monde éclectique de la fiction.

de celle d'Emiliano Zapata. Une stature symbolique qui n'est pas, du reste, sans engendrer de hargne cynique : la « société secrète » Skull & Bones des étudiants de la très élitiste université de Yale – qui compte parmi ses membres éminents trois représentants de la famille Bush – est réputée avoir dérobé ses ossements, de même que ceux du « Che » (ou ceux de Pancho Villa), sans doute en guise de trophées macabres des plus célèbres victimes de l'Amérique triomphante...

Il n'en demeure pas moins vrai que la vie de Goyatlay (« Celui-qui-bâille ») a effectivement de quoi exciter l'imagination[3]. Né selon les versions vers 1823 ou 1829, dans le groupe des Bedonkohes, son histoire personnelle se mêle à celle des Apaches Chiricahuas[4]. Leurs ennemis

3. On trouvera des indications sur la vie de Geronimo dans de très nombreux ouvrages, mais avant tout dans S. M. Barrett, *Mémoires de Géronimo*, traduction de Martine Wiznitzer, introduction de Frederick W. Turner III, La Découverte Maspero, 1972 [1906]. Nous avons indiqué dans la chronologie plus bas (p. 27-29) les principales dates marquantes de la vie de Geronimo ; plus récemment, on peut lire en français Olivier Delavault, *Geronimo*, Gallimard, « Folio-biographies », 2007.
4. Les Apaches (ainsi dénommés d'après un terme pueblo qui signifie « ennemis ») sont constitués en tribus, groupes, bandes et clans dont il est malaisé de démêler les divisions et subdivisions. On distingue généralement – et nous souscrirons à cette nomenclature, faute de mieux – les Apaches de l'Ouest (Gilas, Tontos, Pinals Coyoteros), les Apaches de l'Est (Jicarillas, Mescaleros) et

perpétuels, pour ainsi dire, avaient été les Espagnols, puis les Mexicains (qui avaient établi une tarification des scalps apaches selon qu'il s'agissait de scalps d'enfants, de femmes, de vieillards ou d'hommes adultes) mais, suite au traité de Guadalupe de 1848, ceux-ci cédaient aux États-Unis les territoires qui allaient devenir les États de la Californie, du Nevada, de l'Utah, du Colorado, du Nouveau-Mexique et de l'Arizona – et, donc, sans coup férir, les peuples qui habitaient ces contrées. Dans les années 1850, le chef Mangas Coloradas eut le premier maille à partir avec les Américains, et mena une politique d'alliances matrimoniales de grande envergure pour fédérer les divers groupes des Apaches du Sud. La lutte s'engagea d'abord contre les trappeurs et les trafiquants de tous poils, puis, surtout, contre les mineurs venus en masse à la recherche de cuivre ou d'argent ; Geronimo était déjà de la partie. C'est dans cette période que se place ce qui constitue sans doute le drame de sa vie : le massacre de toute sa famille

---

les Apaches du Sud (Mimbreños et Chiricahuas), ces derniers occupant au milieu du XIXe siècle une vaste région répartie sur les États actuels de l'Arizona et du Nouveau-Mexique aux États-Unis, et sur les provinces mexicaines du Sonora et de Chihuahua (voir la carte, p. 22).

en 1858 par les *Rurales* mexicains, des troupes plus ou moins régulières en chasse permanente des Apaches pour les tuer ou en faire des esclaves. Sa femme, Alope, sa mère et ses trois enfants comptaient au nombre des victimes. Le massacre fut vengé l'année suivante lors d'un assaut sanglant contre la petite ville d'Arispe, au Mexique, le jour de la Saint-Jérôme. À cette occasion, Goyatlay reçu son surnom de « Geronimo » (Jérôme). Sa sœur était mariée à Taza[5], le fils aîné de Cochise. Ce dernier prit la succession de Mangas Coloradas et mena une guerre générale jusqu'au début des années 1870. Mais la popularité de Geronimo (ou sa sinistre réputation – chez les Blancs en tout cas) ne lui vint véritablement qu'à partir des années 1880, lorsqu'il refusa de s'installer définitivement sur la réserve de San Carlos où le gouvernement avait, depuis 1875, l'intention de réunir tous les Apaches. Alors, vraiment, commença son « épopée », une période de coups de main, de redditions feintes, de fuites, de batailles, de poursuites entre le Mexique, l'Arizona et le

---

5. La société chiricahua nous est présentée comme matrilinéaire. Pour autant, il n'est à peu près jamais question des femmes dès lors qu'il s'agit d'évoquer les Apaches, sinon en termes généralisants. Il règne ainsi un remarquable flou dans les parentés entre les divers protagonistes de premier plan.

Nouveau-Mexique, tantôt accompagné de quelques chefs de renom, tantôt à la tête de ses propres hommes. C'est une époque trouble où se mêlent chez lui la peur d'être arrêté et exécuté, le réel désir de combattre, la nécessité d'échapper à l'activisme des politiciens et affairistes faisant pression sur les militaires pour le harceler. Il faut compter aussi probablement sur un calcul politique de Geronimo, qui occupe alors de plus en plus le devant de la scène, dans le monde des Blancs comme dans celui des Chiricahuas ; et cela ne va pas sans créer des tensions au sein de son peuple. C'est que Geronimo lui-même n'appartenait pas – sinon par alliance – à une lignée de chefs traditionnels. Tout le monde s'accorde à lui reconnaître le statut d'un shaman et d'un meneur d'hommes (Frederick W. Turner le qualifie de « shaman de guerre »), mais il est aussi certain que ses rapports avec quelques *leaders* plus reconnus ne furent pas tous paisibles. Quoi qu'il en soit, soumis à une pression accrue à partir de 1882, il se lance, toujours avec une infime poignée de guerriers, dans une épuisante guérilla faite de cavalcades émaillées de massacres et de pillages, mobilisant bientôt à ses trousses 5 000 soldats américains, la presse de tout le pays, et un nombre comparable de

soldats mexicains. La traque inexorable dure
jusqu'à ce jour de septembre 1886 où, exténué
et à bout de ressources, il dépose les armes pour
la dernière fois. Aussitôt après, tous les Chiricahuas sont déportés en Floride jusqu'en 1894,
puis à Fort Sill en Oklahoma, et les survivants
et leurs familles ne reviennent au Nouveau-
Mexique qu'en 1913, sur la réserve de Mescalero. Geronimo était mort d'une pneumonie
sur son ranch en Oklahoma en février 1909.

Le pouvoir de fascination de Geronimo a fait
ainsi couler beaucoup d'encre, et pas seulement dans la littérature de fiction. J.-M.-G.
Le Clézio se livre par exemple à une lecture fantaisiste de l'histoire des Apaches (ici confondus
sans trop d'embarras avec les Chiricahuas) :
« Sous la poussée des colons nord-américains
soutenus par une armée moderne, et reculant
devant les expéditions militaires des Mexicains,
les Apaches recourent à la tactique éprouvée
des Chichimèques : ils se réfugient dans les
montagnes inaccessibles de la Sierra Madre, et
survivent grâce au pillage. Au pouvoir supérieur des armements modernes, ils opposent le
fanatisme de la "Voie de Netdahe [6]", "mort aux

---

6. « *Netdahe* veut dire "mort à tous les envahisseurs". Ce terme date
de l'époque des premiers Espagnols – menés par Coronado – et de
tous les rapaces qui les suivirent pour tenter de conquérir le pays

étrangers", un serment pris par leurs ancêtres lors de l'arrivée de Coronado au Nouveau-Mexique. Les Netdahe, guerriers de la redoutable armée des Chiricahuas, regroupent la plupart des chefs qui feront l'histoire de l'ultime résistance apache : Juh, Kele, Nanay, Loco, Kaah-Tenny et sans doute Geronimo. Guerre mystique, guerre sans espoir qui oppose les derniers nomades du monde, héritiers de la tradition des chasseurs-collecteurs, aux soldats de la nation la plus puissante et la plus développée techniquement du monde moderne. Cette guerre est beaucoup plus qu'un affrontement de races ou de peuples : c'est véritablement un affrontement d'idées et de cultures où s'opposent, en

---

apache. Le brave apache prêtait serment *netdahe* en arrivant à l'âge d'homme et y restait fidèle toute sa vie. Au début du XIXᵉ siècle, les termes du serment furent modifiés et devinrent "mort à tous les blancs". » A. Kinney Griffith, Niño Cochise, *Les cent premières années de Niño Cochise*, Seuil, coll. « Point », 1973 (édition originale de 1971), p. 13, note 1. Nous ignorons malheureusement de qui est cette note. Si la traduction du récit de Niño Cochise donne bien ce terme de *netdahe*, son sens demeure incertain, la translittération des mots apaches étant très fantaisiste. Il se pourrait par exemple qu'il s'agisse tout bonnement ici d'une translittération fautive pour désigner les « Nednhi », ou « Ne'na'i » (qui signifie « Peuple Ennemi »), les Chiricahuas du Sud (voir la note 10, p. 36 de l'introduction de Morris Opler). En tout cas, Morris Opler et Harry Hoijer, dans leur article « The Raid and War-Path Language of the Chiricahua Apache », *American Anthropologist*, New Series, vol. 42, n° 4, part. I (oct.-déc. 1940), p. 617-634 ne parlent nulle part de *netdahe*.

un combat inégal, une société primitive qui valorise la force physique, le courage et la ferveur religieuse, et une société matérialiste pour laquelle seuls comptent l'argent et la réussite[7]. » Frederick W. Turner III, le très sérieux préfacier des *Mémoires de Géronimo* se met, de même, à rendre les choses toutes simples : « Et d'eux tous [les chefs apaches], le plus méfiant, le plus intransigeant, le plus sauvage, le pire du point de vue des Blancs, était Geronimo parce qu'il était le meilleur du point de vue de la culture chiricahua. Pour ce peuple qui vivait de razzias et s'exposait, en conséquence, à des représailles, Geronimo était le plus grand parce qu'il était le meilleur pillard et le meilleur guerrier[8]. » Merci pour lui. Il en va ainsi de Geronimo (et de tous les Apaches à travers lui), qu'on n'a pu longtemps, et encore récemment, l'évoquer sans que vibre dans l'instant une fibre lyrique, épique ou pétrie de bons sentiments. Il n'est alors question que de « la fantastique épopée du peuple de Geronimo[9] », où l'histoire

7. J.-M.-G. Le Clézio, *Le rêve mexicain, ou la pensée interrompue*, Gallimard, 1988, p. 211.
8. S. M. Barrett, *Mémoires de Géronimo, op. cit.*, introduction de Frederick W. Turner III, p. 21.
9. Jean-Louis Rieupeyrout, *Histoire des Apaches. La fantastique épopée du peuple de Geronimo, 1520-1981*, Albin Michel, 1987 ; un ouvrage par ailleurs clair, plaisant et bien documenté.

des Apaches devient « une immense fresque épique, remarquablement construite et mise en scène[10] », comme s'il était impossible de se départir de la dimension légendaire du personnage. Au reste, un roman comme *Pleure Geronimo* déjà cité, nous est parfois donné à lire comme une tentative, par la fiction, de restituer l'histoire de Geronimo en ses moments les plus ardents[11].

Donc, Geronimo est l'Apache, et c'est un héros tragique : une créature de rêve, en somme. Les choses, parvenues à un tel degré de pure clarté, méritent que l'on y introduise un peu de flou, que l'on redescende voir en dessous des nuages ce qui se passe.

Au fond, on entend en la circonstance assez peu la parole des Apaches, et plus précisément

10. C'est ainsi que nous est présenté – sans doute aussi pour des raisons éditoriales – l'ouvrage de David Roberts, *Nous étions libres comme le vent*, Albin Michel, 1999.

11. On a longtemps cru que Forrest Carter était un Cherokee qui aurait donné son autobiographie dans *Petit Arbre (The Education of Little Tree)*. De là l'autorité que *Pleure Geronimo* a pu exercer en tant que « roman documentaire », jouant sur l'idée triviale et très répandue que tout Indien connaît *de l'intérieur* tous les autres Indiens et en parle avec d'autant plus de justesse. Mais on a découvert, tardivement, que Forrest Carter (*alias* Asa Earl Carter, mort en 1979) était un ségrégationniste convaincu, l'écrivain des discours du gouverneur réactionnaire d'Alabama George Wallace, lié au Ku-Klux-Klan, et pour lequel il aurait mis en forme le fameux slogan « *Segregation today, segregation tomorrow, segregation forever* ».

celle des Chiricahuas, et plus rarement encore celle des sans-grade. Niño Cochise, le petit-fils de Cochise[12], fils de Taza et neveu de son frère Naiche et de Geronimo, se fait entendre le premier là-dessus dans son autobiographie, et il est sans équivoque : « Je veux souligner ici qu'aux dires des anciens de notre tribu et quoi qu'écrivent ou pensent les historiens contemporains, Golthlay (Geronimo) n'était pas un homme aussi admirable qu'on l'a écrit, même selon les critères des tribus apaches. Les lendemains de beuverie, ou lorsqu'il était ivre, ce qui était fréquent, c'était un parfait abruti, ou une bête féroce. Sobre, c'était un orateur plein d'éloquence. C'était un rêveur, mais il savait, si on lui en laissait le temps, préparer avec ruse et astuce une bataille ou un raid. La masse des guerriers le suivaient, beaucoup même l'idolâtraient, mais s'il fallait prendre sur-le-champ, au cours d'une bataille, des décisions urgentes, le héros de la bataille était *toujours* mon oncle Naiche[13]. » La famille de Niño Cochise avait trouvé refuge, au moment où les Chiricahuas étaient réunis dans les réserves, dans la Sierra Madre au Mexique, au lieu-dit Pa-Gotzin-Kay.

12. On a émis des doutes sur cette filiation.
13. A. Kinney Griffith, Niño Cochise, *Les cent premières années de Niño Cochise, op. cit.*, p. 15-16.

*Naiche, fils de Cochise
et compagnon d'armes de Geronimo*
Photographie de George Benjamin Whittick

Sa mère tentait de faire vivre son monde à l'écart des turbulences de l'époque et ne voyait jamais d'un bon œil venir se réfugier chez elle les guerriers *netdahe* dont il a été fait mention plus haut, qu'il s'agisse de Geronimo, Juh, Naiche ou d'autres, tout simplement par peur des représailles (mais jamais elle ne refusa son secours aux guerriers en fuite).

Le discours de Samuel Kenoi ci-après nous ramène lui aussi, comme il fallait s'y attendre, à une réalité bien terne et embrouillée. Lui-même naquit vers 1875 en Arizona. Il était membre des Chiricahuas du Sud et en 1886 fut déporté en Floride avec les siens. Il fit un séjour à l'école indienne de Carlisle, puis fut mené avec les autres à Fort Sill en Oklahoma en 1894, avant d'arriver sur la réserve de Mescalero en 1913. Dans les années 1930, il fut informateur et interprète auprès des anthropologues venus recueillir les mythes et légendes des Chiricahuas sur la réserve. Outre le texte qui suit, on connaît de lui quelques histoires exemplaires du drolatique personnage de Coyote, des récits sur le « Peuple imbécile » *(The Foolish People)* et sur les Comanches[14]. On sait également de lui

14. On trouvera une biographie rapide de Samuel Kenoi dans Sherry Robinson, *Apaches Voices : Their Stories of Survival as Told to Eve Ball*, University of New Mexico Press, 2010, aux p. 105-107.

qu'il s'engagea politiquement pour la défense des Chiricahuas sur la réserve de Mescalero auprès du Congrès des États-Unis. Il mourut après 1951. Morris Opler ne nous en apprend guère à son propos. Ses ouvrages de synthèse sur les Apaches[15] indiquent qu'il fut l'un de ses principaux interlocuteurs lors de ses enquêtes, mais toutes les citations que livre Opler dans ses études sont attribuées au même « informateur » anonyme, appellation générique recouvrant plusieurs personnes, ainsi qu'il en était l'usage dans les travaux des anthropologues.

Le récit que l'on va lire serait donc le seul qui ait été publié sous le nom propre de Samuel E. Kenoi. Pour autant, nous ne savons rien du contexte de l'entretien entre Opler et lui, et nous ignorons s'il fut fait en apache puis traduit en anglais (il est cependant probable

---

La seule étude précise dont on dispose sur les récits de Samuel Kenoi est d'Anthony K. Webster, « Sam Kenoi's *Coyote Stories* : Poetics and Rhetoric in some Chiricahua Apache Narratives », *American Indian Culture and Research Journal*, 23, I, 1999, p. 137-163.

15. Morris Opler (1907-1996) est l'auteur de nombreux livres d'anthropologie sur les Apaches, dont son classique *An Apach Life-Way : The Economic, Social and Religious Institutions of the Chiricahuas Indians* (1941). Durant la Deuxième Guerre mondiale, il se consacra aux droits des citoyens américains d'origine japonaise. Par la suite il exerça diverses fonctions dans la haute administration américaine et enseigna à l'université.

que Kenoi se soit exprimé dans sa langue maternelle). Quoi qu'il en soit, il ne fait aucun doute que Kenoi s'est vu questionner au sujet de Geronimo, et plus spécialement sur les circonstances de sa dernière reddition en 1886. Or, à cette occasion, Kenoi a non seulement bâti un propos par bien des aspects orienté *contre* Geronimo et sa réputation mais, surtout, il est parvenu par ce détour stratégique à décaler les perspectives.

Il peut y avoir une raison particulière à la charge contre Geronimo à laquelle il se livre, qui trouverait ses origines dans une querelle familiale. Car Kenoi explique que son père s'est séparé de la bande de Juh, à laquelle il appartenait, au moment d'entrer dans la réserve de San Carlos, vers 1875. C'est encore son père qui, devenu scout pour l'armée américaine, aurait convaincu Juh de venir s'établir sur la réserve – ce dernier n'y resta d'ailleurs pas bien longtemps. Il est tout au moins probable qu'il y ait eu quelque différent entre Juh et les siens et le père de Kenoi. Par la suite, Opler relève que, sur la réserve de Mescalero à l'époque de son enquête (entre 1931 et 1933, le récit de Kenoi ayant été publié en 1938), Asa Daklugie, le fils de Juh et neveu de Geronimo, et Kenoi n'entretenaient pas de bons rapports. Or, Asa fut l'aide et l'interprète de S. M. Barrett, celui-là même qui élabora, avec Geronimo, son autobiographie. Il est possible par conséquent que Kenoi ait voulu d'une certaine façon contrer à la fois Geronimo et Asa en construisant un récit qui amenderait lourdement les *Mémoires de Géronimo*.

Quoi qu'il puisse en être de cette hypothèse (si Sam Kenoi connaissait sans doute les *Mémoires de Géronimo*, il n'est pas bien sûr qu'il les ait lus), le propos de Kenoi demeure habilement composé, probablement d'ailleurs selon les règles d'une rhétorique orale qui nous reste mal connue [16]. Mais voilà en tout cas notre Geronimo de western remis à sa place, associé à divers autres « emmerdeurs » notoires, mis en balance avec les « vrais » chefs et guerriers, traité sans ambages de « trouillard », et finalement replacé à l'intérieur du monde chiricahua. Un monde déchiré, conflictuel, pris dans la nasse oppressive du système des réserves, où c'est tout un peuple d'hommes, de femmes et d'enfants qui apparaît enfin, désorienté, terrorisé et affamé. Kenoi, sans prendre la pose, se fait la voix du souvenir de ces gens-là.

---

16. Anthony K. Webster a du moins montré, dans son article cité plus haut (note 14), l'importance des stratégies narratives dans les récits des Chiricahuas.

Geronimo et Asa Daklugie

Il escamote Geronimo et sa vaine gloire pour lui substituer ceux de la réserve, accrochés à la survie en dépit du cataclysme. C'est là sans doute toute la force du récit de Sam Kenoi que d'exprimer, par l'invective aussi bien contre le Geronimo du mythe que contre l'infamie des Blancs – et sans pour autant renoncer à un certain humour cabotin –, une obstination à se faire entendre au-delà d'une immense amertume.

Sa parole, bien pesée, détourne de cette façon l'attention des brumes du légendaire, oriente et rabaisse le regard vers un peuple toujours vivant, malgré tout, et qu'il appelle, en définitive, à prendre tout simplement en considération. Sa vindicte n'est pas gratuite, ni purement intéressée. Prisonnier de guerre depuis son enfance jusqu'au milieu de sa vie, il a aussi compris que, pour que l'on se risque enfin à poser véritablement les yeux sur tous les Chiricahuas, il fallait que Geronimo chute une seconde fois.

Frantz Olivié

Chronologie

Cette chronologie sommaire est forcément lacunaire et ne prétend que donner quelques points de repère. Les balises proposées ci-dessous concernent essentiellement les Chiricahuas et les moments importants de la vie de Geronimo.

1823 ou 1829 : Naissance de Go-Khlä-Yek, ou Goyah-kla ou Go-Hla-Yey ou Golthlay ou encore Goyatlay (« Celui-qui-bâille »), *alias* Geronimo, dans le groupe apache chiricahua des Bedonkohes en Arizona.

1858 : Massacre de la famille de Geronimo (sa mère, sa femme et ses trois enfants) par les Mexicains à Janos.

1859 : Attaque de la ville d'Arispe au Mexique, par les Apaches, le jour de la Saint-Jérôme. Geronimo y gagne son surnom.

1861 : Début de la guerre du chef chiricahua Cochise.

1872 : Fin de la guerre de Cochise.

1873 : Ouverture de la réserve de San Carlos.

1874 : Les Mimbreños et leur chef Victorio autorisés à demeurer sur leurs terres de Warm Springs (Ojo Caliente).

1875 : Le gouvernement américain décide de transférer tous les Apaches d'Arizona et du Nouveau-Mexique à San Carlos. Naissance de Samuel Kenoi (?).

1876 : Les Chiricahuas de la réserve de Sulphur Springs (la tribu de Cochise) sont emmenés à San Carlos. Naiche le fils de Cochise, Geronimo et Juh, entre autres, ne s'y rendent pas.

1877, mai : Les Chiricahuas de Warm Springs (Ojo Caliente) sont emmenés à San Carlos. Geronimo (ainsi que Loco et Nana) est fait prisonnier.

— septembre : Victorio s'enfuit de San Carlos, puis est à nouveau capturé. Il est placé sur ses terres de Warm Springs.

1878 : Geronimo s'enfuit et rejoint Juh au Mexique.

— fin de l'année : Le gouvernement décide de transférer les Mimbreños de Warm Springs à San Carlos. Victorio, leur chef, s'enfuit.

1879 : Guerre sans répit de Victorio aux États-Unis et au Mexique. Fin de l'année, Geronimo et Juh se rendent à San Carlos.

1880 : Victorio est tué au Mexique.

1881 : La « Chevauchée de Nana », expédition punitive pour venger la mort de Victorio. À San Carlos, Noch-ay-del-Klinne, surnommé « Le Rêveur » ou « Le Prophète », exerce un fort ascendant sur les Apaches de la réserve. Les autorités décident de le mettre aux arrêts, mais Le Prophète est tué, et une bataille rangée s'ensuit. L'épisode est connu sous le nom de « l'affaire de Cibecue » du nom du lieu où elle s'est déroulée. Fin septembre, fuite de San Carlos de Geronimo, Bonito, Juh, Naiche...

1882 : Guidé par Geronimo avec Naiche, Chato, Chihuahua, Loco, etc., un important groupe de Chiricahuas s'évade de San Carlos et passe au Mexique. Ils se réfugient dans la Sierra Madre.

1883, printemps : Raid de Chato, Chihuahua et Bonito aux États-Unis. Le général Crook est nommé pour mener la guerre.

— fin juin : Loco, Nana, Chihuahua et Bonito se rendent et retournent à San Carlos. Malgré leurs déclarations de bonnes intentions, Chato, Juh et Geronimo ne se rendent pas. Début de la renommée de Geronimo comme sauvage sanglant dans la presse des villes du territoire. Mort de Juh.

1884, début de l'année : Geronimo, Naiche et Chato reviennent à San Carlos.

1885, mai : Suite à des rumeurs sur son éventuelle arrestation ou exécution, Geronimo s'enfuit, avec Naiche, Nana et Chihuahua (ce dernier contre son gré) ; Chato, Loco et Bonito ne les suivent pas.

1886, mars : Geronimo et les siens se rendent à Crook, au Mexique. Chihuahua et Nana reviennent aux États-Unis, mais Geronimo s'enfuit à nouveau sur le chemin du retour. Crook est remplacé par le général Miles. Celui-ci poursuit Geronimo au Mexique et le rejoint début septembre à Skeleton Cañon, près de la Sierra Madre. Geronimo se rend pour la dernière fois. Les Chiricahuas sont déportés en Floride.

— octobre : inauguration de la statue de la Liberté à New York.

1896 : Les Chiricahuas sont déplacés à Fort Sill, en Oklahoma.

1904-1905 : Geronimo dicte ses mémoires à S. M. Barrett par le truchement d'Asa, le fils de Juh.

1909 : Mort de Geronimo.

1913 : Les Chiricahuas sont autorisés à regagner le Nouveau-Mexique et l'Arizona ; un tiers d'entre eux demeurera en Oklahoma.

— mai : match de base-ball entre l'équipe des Chiricahuas et l'équipe de la petite ville de Cloudcroft. Victoire apache par 22 à 2, les journalistes reconnaissent que « personne n'a été scalpé ».

Le pays des Chiricahuas

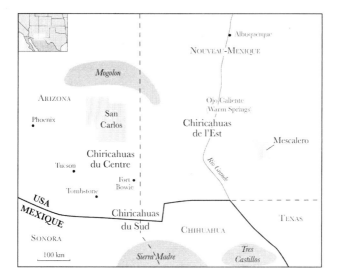

Photographie de la rencontre entre le général Crook et la bande de Geronimo au printemps 1886

Introduction de Morris Opler

Entre 1931 et 1933, alors que je menais des recherches ethnologiques auprès des Indiens Apaches Chiricahuas qui vivaient alors sur la réserve indienne de Mescalero au Nouveau-Mexique*[1], l'un de mes informateurs les plus précieux était Samuel E. Kenoi, un homme âgé de 57 ou 58 ans. En 1932, nous avons enregistré le long récit autobiographique que nous fit M. Kenoi[2]. Les quelques pages suivantes couvrent la période de cette vie qui coïncide avec la campagne menée en 1885-1886 contre le chef chiricahua Geronimo. Nombre des responsables militaires américains ayant participé à cette campagne nous ont laissé au travers de

* Morris Opler avait donné un certain nombre de notes à son édition du récit de Samuel Kenoi, ainsi qu'à son introduction. Nous les avons conservées pour la plupart – elles sont suivies de son nom – et nous en avons rajouté lorsque cela nous semblait nécessaire.
1. Cette réserve fut ouverte en 1883 pour les Apaches Mescaleros. En 1903 des Apaches Lipans du Mexique vinrent s'y installer, et en 1913, 200 Chiricahuas y furent emmenés depuis Fort Sill, où ils étaient jusqu'à cette date retenus comme prisonniers de guerre.
2. Nous n'avons pu trouver trace de cet enregistrement.

rapports, d'articles et de livres leurs propres versions de cet événement[3]. La moindre des choses n'est-elle pas que les Chiricahuas, certes moins instruits, soient néanmoins consultés avant de pouvoir affirmer que l'ensemble des éléments historiques pertinents concernant cet événement sont désormais à notre disposition ?

La tribu des Apaches Chiricahuas peut être divisée en trois groupes distincts : celui de l'Est, celui du Centre et celui du Sud[4]. Avant l'âge des réserves, le groupe de l'Est, plus connu sous le nom d'Apaches de Warm Springs vivait en grande partie au sud-ouest du Nouveau-Mexique[5]. Les chefs les plus célèbres de ce groupe furent Mangas Coloradas, Victorio, Nana et Loco[6]. Les Chiricahuas

3. Disons pour faire bref qu'à peu près tous les officiers qui ont eu affaire de près ou de loin à Geronimo se sont sentis obligés d'écrire quelque chose. Voir notamment *The Truth about Geronimo*, du lieutenant Britton Davis (1929) ou John G. Bourke, *On the Border with Crook* (1881), etc.

4. Voir la carte, p. 31.

5. Le nom chiricahua pour les Chiricahuas de l'Est est *Tcihende*, « Peuple peint de rouge » — *Opler*.

6. Mangas Coloradas, chef de la bande des Mimbreños, mena la guerre des années 1850 à 1863 : il finit assassiné par ses geôliers après s'être rendu, puis fut scalpé et eut la tête coupée pour être soumise à un examen phrénologique ; Geronimo comptait déjà parmi ses guerriers. Victorio s'enfuit de la réserve de San Carlos en 1877. Pendant les années qui suivirent, combattant sans

du Centre[7], placés, selon les époques, sous l'autorité de Cochise, Chihuahua ou Naiche[8], contrôlaient la partie sud-ouest de l'Arizona. Quant aux Chiricahuas du Sud, qu'évoquent les noms de Geronimo, Bonito, Juh (Who,

merci, il conduisit son peuple entre les États-Unis et le Mexique, harcelé par les troupes américaines et les *Rurales* mexicains. En octobre 1880, il se retrouva cerné dans la montagne des Tres Castillos au Mexique et fut tué lors du combat, encore que les circonstances de sa mort restent discutées et que certains prétendent que Victorio se serait suicidé. Nana faisait partie de la bande de Victorio et entreprit, à plus de soixante-dix ans, de le venger : ce sera la « Chevauchée de Nana ». Une année durant, avec une poignée de guerriers il sème le feu et le sang dans toute la région. Après sa reddition, il est emmené en captivité et meurt à Fort Sill en 1896. Loco, ainsi dénommé en raison de sa furie dans les combats, après avoir suivi Victorio, reprend les armes en 1882, persuadé par Geronimo de l'accompagner dans ses guerres. Il se rend au général Crook en 1883 et fait partie ensuite d'une délégation apache allée à Washington réclamer la paix en 1886. Emmené en captivité comme les autres, il meurt en 1905.

7. Dans leur langue, les Chiricahuas du Centre se font appeler *Tcokanene* [Chokonen]. Ce terme résiste à toute analyse linguistique – *Opler*.

8. Avec Geronimo, Cochise est le plus célèbre des chefs apaches. Il entra en guerre contre les États-Unis après que des militaires ont voulu traîtreusement le capturer. Son combat va durer de 1861 à 1872. À cette date, avec la paix obtenue, entre autres, par le fameux Tom Jeffords, les Chiricahuas du Centre sont installés sur la réserve de Sulphur Springs, où Cochise meurt le 8 juin 1874. Chihuahua participa à la plupart des derniers combats de Geronimo mais se rendit finalement en 1883 et fut le premier Chiricahua déporté en Floride avec son peuple. Naiche est le second fils de Cochise et le neveu de Mangas Coloradas ; il combat aussi aux côtés de Geronimo, puis se rend à son tour. Il meurt en 1921 sur la réserve de Mescalero.

Whoa ou encore Ho)[9], ils vivaient principale-
ment dans l'État de Chihuahua au Mexique,
même s'ils pénétraient aussi régulièrement
dans le Sud de l'Arizona[10].

Pour fixer et pacifier les deux groupes qui
vivaient à l'intérieur des frontières américaines, on créa des réserves. En 1872, on insti-
tua une réserve dans les Dragoon Mountains
pour les Chiricahuas du Centre qui se trouvaient alors sous l'autorité de Cochise. On
avait auparavant créé la réserve d'Ojo Caliente
dans l'Ouest du Nouveau-Mexique pour les
Chiricahuas de Warm Springs. Cette politique
permettait aux groupes de demeurer sur leurs
territoires ancestraux et la situation s'améliora
remarquablement. Mais de graves troubles
éclatèrent lorsque ces réserves furent abolies
après 1875 et que l'on entreprit de regrouper
tous les Chiricahuas sur la réserve de White
Mountain (devenue depuis les réserves de San
Carlos et de White Mountain) des Apaches de

9. Nous ne savons pas grand-chose de Bonito, sinon qu'il fut chef
important des Chiricahuas. Juh est connu pour incarner avec
Geronimo la figure de l'Apache « hostile ». Il suivit Geronimo
dans la plupart de ses affaires et mourut vraisemblablement par
noyade (suite à une chute de cheval consécutive à une phénomé-
nale soûlerie selon certains) en novembre 1883, au Mexique.
10. Le nom indigène des Chiricahuas du Sud est *Ne'na'i*, « Peuple
ennemi » — *Opler*.

l'Ouest[11]. Les Chiricahuas résistèrent farouchement à la déportation et eurent du mal à s'intégrer à la communauté des Apaches de l'Ouest dont ils se sentaient éloignés tant par le dialecte que par les coutumes. Lors de la déportation des Chiricahuas vers la réserve des Apaches de l'Ouest, on en profita pour s'emparer d'autant d'Apaches du Sud que l'on pût trouver. Ils furent néanmoins nombreux à s'échapper. Comme le récit qui suit l'atteste, la méfiance à l'égard des Apaches de l'Ouest, la nostalgie de leur territoire ancestral et la réticence vis-à-vis de l'étroite surveillance exercée par les soldats blancs poussèrent un certain nombre de petits groupes de Chiricahuas à prendre le large et à se lancer dans la razzia. Un certain nombre de ces groupes rebelles s'allièrent aux Chiricahuas du Sud insoumis dans certains actes de pillage et fuirent vers le territoire des Chiricahuas du Sud pour y trouver refuge. Assez rapidement, ces Chiricahuas du Sud qui demeuraient libres devinrent la cible

---

11. Les Apaches de l'Ouest se composaient de différents groupes dont, entre autres, les Tonto, les Cibecue, les White Mountains et les San Carlos. Certaines bandes de ces groupes étaient des ennemis fréquents des Chiricahuas. Les Apaches de l'Ouest furent regroupés dans la réserve de San Carlos après la campagne du général Crook, qui fut émaillée de nombre de massacres et qui se termina en 1872-1873.

des militaires et l'on tenta également de les envoyer à San Carlos. Comme les Chiricahuas du Sud opéraient des deux côtés de la frontière, le général Crook dut, dans le cadre de sa campagne de 1883, pénétrer sur le territoire mexicain pour s'emparer de ces Apaches et en expédier le maximum à San Carlos [12].

Tous ces étrangers n'étaient évidemment pas très appréciés des Apaches de l'Ouest. Le soupçon, les désordres et les frictions s'accrurent. Le conflit entre responsables civils et militaires autour de l'exercice de l'autorité ne fit qu'ajouter à la confusion et aux troubles [13]. En 1885, Geronimo, Chihuahua, Mangas et Naiche s'enfuirent à nouveau de la réserve avec leurs partisans et reprirent leurs raids à travers le Nouveau-Mexique et l'Arizona. Le général Crook les pourchassa et conduisit cette guerre avant d'être remplacé à son poste par le général

---

12. En 1883, Chato, Chihuahua et Bonito lancent une razzia aux États-Unis depuis le territoire mexicain puis repassent la frontière. Le général Crook se lance à leur poursuite au Mexique et en ramène quelques Chiricahuas, mais Geronimo, Chato et Naiche ne sont pas du nombre. Ils ne viennent se rendre qu'en 1884, pour s'enfuir à nouveau l'année suivante.

13. L'opposition entre l'armée et les autorités civiles en charge des affaires indiennes est bien connue. Le scénario traditionnel voulait qu'un agent des affaires indiennes en charge d'une réserve et parfaitement véreux pousse les Indiens à la révolte, que devait ensuite – en toute logique – réprimer l'armée.

Nelson A. Miles[14]. Cette guerre s'acheva par la reddition de Geronimo le 5 septembre 1886.

Si le père du narrateur était un Chiricahua du Sud, il n'était pourtant nullement impliqué dans la révolte de Geronimo. Nombre de Chiricahuas ne se contentèrent pas de refuser de suivre les avis de leurs chefs rebelles. Ils acceptèrent de servir les troupes américaines au cours de cette expédition. M. Kenoi attribue en particulier à deux Chiricahuas, Charles Martine et Kaitah, le mérite d'avoir découvert que Geronimo se dissimulait dans la Sierra Madre et de l'avoir convaincu de se rendre. Cet accent mis sur la contribution de ces deux hommes à la victoire finale est confirmé par le capitaine John G. Bourke *(On the Border with Crook)* et Britton Davis *(The Truth about Geronimo)*. La détention et la déportation de toute la tribu – y compris de ses éléments les plus pacifiques et les plus coopératifs – qui s'ensuivirent expliquent l'amertume et le ressentiment qui teintent le récit de M. Kenoi.

---

14. Après la seconde fuite de Geronimo de San Carlos, Crook le poursuivit à nouveau et obtint sa parole qu'il se rendrait. Prenant les devants, Crook s'en retourna avec ses hommes et quelques Chiricahuas, et annonça au public et au gouvernement la capture de Geronimo, qui ne vint finalement pas. Après l'affaire de 1883 (voir note 12 ci-dessus) et celle-ci, Crook fut démis de ses fonctions et remplacé par le général Miles, qui effectua l'arrestation de 1886.

Le récit de Samuel E. Kenoi

Je suis né en 1875. Je me souviens de quand Geronimo a pris le sentier de la guerre pour la dernière fois. C'était en 1885 mais j'ai entendu dire qu'il l'avait déjà pris avant[1].

Mon père était un Chiricahua du Sud. Il avait parcouru le pays dans tous les sens. Juh[2] conduisait le groupe auquel mon père appartenait. C'était un petit groupe, mais mon père n'est pas resté longtemps avec eux. Il est passé par San Carlos, Fort Apache et Mescalero[3]. Il n'a jamais suivi Geronimo sur le sentier de la guerre.

Une fois, mon père et un autre type qui s'appelait Adis, le père de Tom Duffy, ont été désignés comme scouts à Fort Apache. C'était avant la dernière évasion de Geronimo. Avant

---

1. C'est le moins que l'on puisse dire : Geronimo a été en guerre à peu près toute sa vie jusqu'en 1886.
2. Juh, que l'on peut également orthographier Ho, Who et Whoa dans les différents rapports ou récits historiques, était un chef chiricahua. Son fils Asa Datlogi vit encore à Mescalero — *Opler*.
3. Ce sont là des noms de réserves.

que Geronimo ne s'enfuie, Juh menait une bande assez importante qui s'était échappée. C'étaient des Chiricahuas du Sud. Les officiers de l'armée des États-Unis ont chargé mon père et Adis de les poursuivre. L'officier leur a donné des petits badges ronds avec un numéro dessus. Normalement ces badges étaient réservés aux scouts les plus chevronnés. Il fallait être guide pour en avoir un et il fallait en plus être accepté par Washington. Les officiers américains donnaient ces badges aussi bien aux Indiens qu'à leurs guides blancs. Après que ces deux hommes ont été désignés, on leur a donné un fusil de l'armée, un Springfield 45-70, avec une cartouchière bourrée de munitions. On leur a dit de poursuivre Juh et son groupe, de faire la paix avec eux et de les ramener. C'était vers 1873[4]. C'est parce que mon père et l'autre étaient des Chiricahuas du Sud, comme ceux de la bande de Juh, qu'on leur a dit d'aller les chercher. Mon père et Adis s'en sont tirés parce que mon père avait beaucoup de parents par alliance dans le groupe de Juh. Ils ont fini par retrouver et ramener ces Indiens à Fort Apache.

---

4. La date donnée ici est sans doute trop ancienne puisque, avant 1876, on comptait peu de Chiricahuas sur le territoire des Apaches de l'Ouest — *Opler*.

Scouts apaches

Dans l'ancien temps, on disait que les Indiens ne pensaient pas grand-chose des Blancs, si ce n'est qu'ils leur donnaient des couvertures et des rations alimentaires. À l'époque, ils avaient l'air de bien s'entendre avec eux. Même pendant les guerres, les Indiens paisibles de la réserve pensaient ça. Ils disaient que l'homme blanc était venu d'au-delà de l'Océan.

Mais ils n'aimaient pas tous ces règlements. Ça, ils n'aimaient vraiment pas. À cette époque, tous les Indiens ne vivaient pas sur la réserve. Mais ceux qui y vivaient côtoyaient les Blancs en permanence et se sentaient sur-veillés. Les autres, en dehors de la réserve, vivaient comme des sauvages. C'est pour ça que certains pensaient que les Blancs avaient des manières bizarres, et ils les haïssaient. Plus tard, quand ils ont mieux connu les Blancs, ils ont appris à les apprécier. Le Blanc apportait des choses nouvelles, de la nouvelle nourriture par exemple. Mais les nouveaux venus, comme Juh et Geronimo, n'aimaient pas les Blancs. S'il devait y avoir un chef, ils voulaient que ce soit eux.

Les Indiens et les Mexicains étaient ennemis. Les Indiens pensaient que les Mexicains étaient des gens mauvais. En fait, les différents groupes apaches comme les Apaches du Sud et les Apaches du Centre n'étaient pas aussi proches que cela. Le plus important, c'était le territoire. Ils aimaient leur territoire, l'endroit où étaient nés leurs parents. Et ils revendiquaient ce territoire.

Quand je repense à la manière dont ces Indiens vivaient, je crois que le Département de l'Intérieur, ou le Département à la Guerre, voulait tout bonnement mettre les Indiens hors la loi juste pour s'occuper. Ils mettaient les Indiens sur les réserves pour les civiliser. Mais au lieu de les civiliser, ils les parquaient dans ces réserves, nus, affamés, abattus et à l'écart des Blancs. L'école la plus proche que le gouvernement nous proposait à cette époque se trouvait à Carlisle en Pennsylvanie[5]. Il n'y avait pas encore d'école indienne à Fort Apache ni dans les environs. Les seuls Blancs qui se trouvaient sur place étaient les officiers les plus brutaux que l'on puisse trouver dans l'armée des États-Unis. Tout ça pour s'occuper de pauvres Indiens ignorants.

Je me rappelle avoir vu le général Crook qui commandait la *Western Division* de l'armée des États-Unis. Il se trouvait sur cette réserve. Il fait très froid l'hiver à Fort Apache, pourtant les Indiens survivaient dans des huttes en bois recouvertes de tout ce qu'ils pouvaient trouver, du cuir de vache ou de mouton pour empêcher que l'eau ne pénètre dans leurs huttes.

Finalement, le général Nelson A. Miles a remplacé le général Crook pour s'occuper de

---

5. L'école indienne de Carlisle fut fondée en 1879 par le capitaine Richard Henry Pratt dans le but, inspiré par des idées progressistes puisées chez les Quakers ou réformistes de la côte est, d'intégrer les Indiens à la société américaine. Des milliers de jeunes Indiens, et pour commencer des Sioux et des Kiowas, vont passer par Carlisle, avec ou sans le consentement de leurs parents. Dès leur arrivée, ils sont lavés, ont les cheveux coupés, sont affublés d'un uniforme, et on leur attribue un nom chrétien avant de leur inculquer un apprentissage plus pratique qu'intellectuel (selon le mot d'ordre de l'institution : « Tuer l'Indien pour sauver l'homme »). La très grande majorité retourne ensuite dans les réserves. Sur les listes disponibles des noms des enfants apaches passés à Carlisle, on trouve un « Samuel Kenoi, Apache »... et un « Charles Dickens, Apache ».

ces Indiens. Il a pu juger par lui-même de la situation. Mais au lieu de l'améliorer ses soldats terrorisaient en permanence les petits groupes un peu partout. C'est la peur qui poussait les Indiens terrorisés à prendre le sentier de la guerre.

Ça se passait comme ça : Imaginez que Juh soit sur le sentier de la guerre et imaginez que Naiche soit sur le sentier de la guerre et Geronimo pareil. Alors on envoyait deux Apaches pour convaincre Juh de revenir sur la réserve sans combattre. Ou alors le gouvernement pouvait également envoyer deux hommes après Naiche. Il pouvait en envoyer deux autres après Geronimo. Il arrivait qu'ils reviennent tous en même temps à l'agence. À leur retour, ces trois groupes étaient complètement terrorisés. Ils imaginaient qu'on allait les pendre ou qu'on leur trancherait la gorge. Alors ils tendaient l'oreille pour savoir ce qu'on disait d'eux. Ils rôdaient autour de ce camp ou du camp le plus proche pour en savoir plus. Ils étaient véritablement terrorisés.

Les soldats les désignaient du doigt en demandant « C'est qui Naiche ? C'est qui Juh ? C'est qui Geronimo ? » Juste pour rire un soldat passait sa main le long du cou quand l'officier ne regardait pas, pour dire qu'on allait les égorger[6]. Après, les Indiens avaient encore plus peur qu'avant, alors il fallait faire quelque chose. Ces trois-là, Juh, Geronimo et Naiche, ils ont secrètement tenu conseil pendant que tout le monde dormait la nuit même. Ils ont dit : « Ce soldat blanc que nous avons rencontré, il a fait un geste comme pour se trancher la gorge. Ça doit bien vouloir dire quelque chose. Peut-être que c'est un brave type qui essaie de nous avertir de ce qu'ils vont nous faire. »

C'est ça qu'ils pensaient. Ils pensaient que le soldat blanc était un chic type qui les prévenait qu'ils allaient être égorgés. Mais le soldat faisait ça seulement pour s'amuser et, après, il ne comprenait pas pourquoi ces Indiens s'étaient encore enfuis de la réserve. Mais ces Indiens étaient sauvages, et ils ne comprenaient rien non plus.

Les Indiens qui avaient pris le sentier de la guerre plusieurs fois essayaient de savoir ce qu'on disait d'eux. Si un soldat ou quelqu'un d'autre disait : « Ces Indiens devraient être emprisonnés », ou : « On devrait les tuer pour ce qu'ils ont fait », l'Indien ignorant qui ne

6. Tous les vieux Chiricahuas tombent d'accord sur ce qu'ils reconnaissent aujourd'hui être une tentative manifeste de la part des soldats blancs de les terroriser — *Opler*.

connaissait pas trop l'anglais et qui entendait ça avertissait tout le monde que les Indiens allaient être emprisonnés ou assassinés. Alors, ils s'enfuyaient à nouveau.

Quand les bandits s'enfuyaient, les Indiens de la réserve se regroupaient autour des bâtiments de l'agence parce qu'ils avaient peur que les rebelles capturent tous ceux qui pouvaient porter une arme et les emmènent avec eux. Si vous vouliez récupérer un cheval laissé en pâturage, mieux valait y envoyer un gamin pour éviter les problèmes.

Des amas rocheux et des montagnes marquaient les limites de la réserve. J'étais un gamin et je ne connaissais pas ces limites. Mais mon père, ma mère et les vieux eux les connaissaient. Mon père vivait déjà sur la réserve lorsque je suis né. C'est le général George Crook qui l'y avait amené. C'était avant que je naisse. Ils lui avaient dit : « Fort Apache est ton agence. Tu peux aller d'ici à San Carlos, et camper où tu veux entre les deux. »

Je crois que c'est en 1871 que plusieurs groupes d'Indiens se sont installés sur cette réserve. Ils devaient se plier aux règlements et obéir aux ordres. Ceux qui tuaient et volaient étaient punis. La plupart des Indiens obéissaient aux règlements. Seule une poignée d'entre eux refusaient d'obéir.

Comme Geronimo par exemple. On a dit de lui que c'était un tigre humain[7]. Il adorait prendre le sentier de la guerre et il persuadait ses parents, les parents de sa femme et tous ses autres parents de partir avec lui[8]. Dès que je repense à Geronimo, c'est ainsi : il n'a jamais aimé vivre sur la réserve comme les autres Indiens. Il avait toujours peur. Et puis il y avait cette cérémonie ridicule[9]. Il imaginait que les Blancs allaient le tuer ou l'envoyer en prison quelque part. Alors il se livrait à sa cérémonie, pendant laquelle il

7. Mon informateur a eu sous les yeux une photo extrêmement populaire de Geronimo qui portait cette légende qu'il reprend à son compte — *Opler*.

8. Geronimo n'était pas un chef au sens classique du terme chez les Chiricahuas. Comme ce passage l'indique, son influence s'exerçait avant tout sur sa famille et ses amis proches. C'est une des raisons pour lesquelles ceux sur qui elle ne s'exerçait pas n'ont pas du tout apprécié que le gouvernement les punisse eux aussi — *Opler*.

9. Parmi les siens, la place prééminente de Geronimo doit moins à sa méfiance vis-à-vis des Blancs qu'à ses pouvoirs cérémoniels. L'une de ces cérémonies était censée révéler les intentions et la localisation de l'ennemi. Au cours de la période dont il est question, il usait de cette réputation pour prédire les agissements des Blancs. Comme il avait assurément quelques craintes à ce sujet et que sa cérémonie était mise au service de ses craintes, son « pouvoir » l'incitait le plus souvent à fuir et donc à être victime de bien des difficultés — *Opler*.

avait des visions. Pour finir il décrétait : « Prenons le sentier de la guerre. »

Juh était le père d'Asa[10]. Son nom ne veut rien dire. On l'appelait comme ça parce qu'il bégayait. C'était un shaman de guerre et il a eu pas mal d'influence pendant le conflit avec les Blancs. Il était toujours prêt à exciter les uns et les autres et à les pousser à se battre et à piller. Ensuite c'est toute la tribu qu'on punissait et c'est à cause de types comme lui que nous étions considérés et traités comme des prisonniers de guerre.

Geronimo était un type dans ce genre-là. Un vieil emmerdeur. C'était un shaman. Il était trouillard comme un coyote. Demandez à Perico à quoi il ressemblait vraiment[11]. Perico, c'est un brave et c'était l'un des meilleurs guerriers apaches. Tout le monde sait cela et son frère, Eyelash, qu'on appelait également Fun, était comme lui[12]. Fun était un grand guerrier.

---

10. Entre le fils de Juh et le narrateur il existe une sérieuse rivalité politique et une animosité personnelle évidente. Cependant Juh a bien souvent été décrit comme un individu cruel et vindicatif — *Opler*. C'est Asa qui traduisit le récit autobiographique de Geronimo pour S. M. Barret, publié en français sous le titre *Les Mémoires de Géronimo*. Asa mourut en 1955.

11. Depuis que ce récit a été collecté, Perico est décédé — *Opler*.

12. Perico et Fun ont en effet la réputation d'avoir été parmi les plus courageux guerriers de la bande de Geronimo.

Il s'est suicidé en Alabama [13]. Perico vous dira comment lui et les autres se battaient alors que Geronimo restait toujours derrière comme une femme.

Un jour, au Mexique, Geronimo et les siens avaient été encerclés dans une grotte par les soldats mexicains. Dans la grotte, il y avait aussi des femmes et des enfants. Les Mexicains ont mis le feu à l'herbe qui entourait la grotte pour les enfumer et les brûler tous. Ils alimentaient également un feu à l'entrée de la grotte. Les Apaches tombaient de partout. Plutôt que de résister et de se battre, Geronimo s'est caché derrière les femmes et les enfants qui mouraient les uns après les autres et lui tombaient dessus en le couvrant de leur sang. Sous leur corps, il essayait de s'enfouir dans le sable. L'un de ses guerriers qui l'a tiré par les pieds et l'a remis debout, lui a dit : « Où tu comptes aller comme ça ? Avant tu te conduisais comme un homme et maintenant pourquoi tu ne te redresses pas pour combattre comme un homme [14] ? »

13. On dit que Fun a blessé sa femme au cours d'une crise de jalousie. Croyant avoir tué sa femme (qui survécut à ses blessures), Fun s'est suicidé – *Opler*. La bande de Geronimo était alors en captivité et aux travaux forcés en Alabama.

14. Cette histoire m'a été racontée plusieurs fois durant mon séjour – *Opler*.

Je connais plein d'histoires comme celle-là sur Geronimo. Aujourd'hui il y a des jeunes qui essaient de le faire passer pour un héros. Ils disent que c'était un brave et qu'il s'est battu pour son pays – enfin des tas de trucs du genre.

Un jour que je parlais de lui à Fort Sill[15], un Indien m'a dit : « Qu'est-ce que tu sais de Geronimo, toi ? »

Je lui ai répondu : « J'en sais beaucoup sur lui. Je sais que lui et d'autres dans son genre sont responsables de la mort de ma mère et de pas mal de membres de ma famille qui ont été trimballés partout en tant que prisonniers de guerre. En tout cas, je sais que nous n'aurions pas tous ces problèmes s'il n'y avait pas eu des types comme lui. Et vous, vous l'admirez pour ça ! »

Je me souviens parfaitement de Fort Apache. La plupart des Indiens étaient paisibles. Ils faisaient tranquillement leurs affaires. Ils cultivaient en paix. Ils élevaient leurs moutons et leur troupeau et s'en sortaient très bien. Et puis quelqu'un annonçait : « Geronimo s'est encore enfui. » Et il s'installait dans

---

15. Fort Sill en Oklahoma, où les Chiricahuas furent maintenus comme prisonniers de guerre entre 1894 et 1913 — *Opler*.

les montagnes avec sa petite bande d'une quarantaine de gens. Juste après il s'en prenait à un colon ou tuait quelqu'un et on accusait toute la tribu. Au lieu de revenir, de s'installer, de prendre ses rations alimentaires et de s'établir pour essayer de se civiliser il préférait courir dehors à piller et à tuer comme une bête sauvage. Alors, ils ont organisé les scouts chiricahuas pour les envoyer après la bande de Geronimo. Et voilà, c'est comme ça qu'il a obligé les Apaches à se battre contre les Apaches et provoqué toutes sortes de chamailleries au sein de notre peuple.

Naiche, l'un des lieutenants de Geronimo, était un brave homme mais on ne pouvait pas le civiliser. Il aimait toutes ces danses indiennes, et il aimait boire et il aimait se battre. C'était surtout un excellent guerrier mais il était sous l'influence de Geronimo. Mangas était aussi un emmerdeur. Il n'avait que trois ou quatre hommes à lui en permanence sur le sentier de la guerre et c'est toujours toute la tribu qui payait. Sa sœur vit encore ici, c'est la femme de George Martine. Il ne s'agit pas de Mangas Coloradas. C'est un autre Mangas. Mangas Coloradas vivait bien avant tout ça et c'était quelqu'un de bien. C'est le grand-père de Roger Tulane.

Un jour, j'ai demandé à Perico quel était le meilleur chef qu'il ait jamais connu et il m'a dit que c'était Mangas Coloradas – et de loin. Perico est vieux : encore plus vieux que Chato [16]. Il raconte que quand il était enfant il a vu Mangas Coloradas signer un traité de paix au nom des Indiens. D'après un document officiel que je possède, il s'agit du traité signé le 1er juillet 1852 [17]. Perico dit qu'il avait douze ou quatorze ans à cette époque. Il dit aussi que Tcic venait juste derrière [18]. Tcic est le père du père de Christian Naiche. Il dit que Bonito, un Chiricahua du Sud, venait tout de suite après. Selon lui, Loco, le père de Johnny Loco, était un vrai froussard et il traînait toujours autour de Warm Springs [19]. Victorio était aussi un emmerdeur.

16. Né vers 1854, Chato a combattu jusqu'en 1883, puis s'est rendu au général Crook. C'est lui qui mena la délégation pacifiste à Washington, accompagné de Loco. Il mourut en 1934 des suites d'un accident de voiture.

17. Il s'agit du traité d'Acoma, l'un des premiers signés entre les Chiricahuas et les États-Unis.

18. Tcic (ou « Nez »), connu des Blancs sous le nom de Cochise – *Opler*.

19. Johnny Loco vit toujours à Apache dans l'Oklahoma. En 1913, lorsque les Chiricahuas furent libérés de toute surveillance militaire, certains d'entre eux choisirent de rester en Oklahoma et se virent attribuer des parcelles de terre. Mais la plupart décidèrent de s'installer à Mescalero au Nouveau-Mexique. Johnny Loco décida de rester dans l'Oklahoma – *Opler*.

À Fort Apache, on dit que Geronimo était toujours sur ses gardes. Deux femmes et trois hommes espionnaient au service du lieutenant Davis. C'étaient des Apaches de l'Ouest – c'est une autre tribu. C'est pour ça qu'on raconte toutes ces histoires sur eux. Après minuit, les deux espionnes allaient répéter aux officiers tout ce qui avait été dit et tout ce que les Indiens avaient l'intention de faire. Une grande partie de tous nos ennuis sont dus aux Apaches de l'Ouest. Ils racontaient souvent des mensonges. On ne sait pas qui étaient ces espions mais je ne pense pas que les agents gouvernementaux puissent nier qu'ils employaient des espions, des hommes et des femmes.

En vérité la réserve appartenait aux Apaches de l'Ouest. C'était leur terre, comme d'autres endroits appartiennent à d'autres groupes. Il y avait les Apaches de Warm Springs, les Chiricahuas du Centre, qui avaient un petit morceau de terre en dehors de la réserve. Les Chiricahuas du Sud avaient un autre petit territoire à eux. Et puis il y avait ceux de Mount Mora et de Baronko. Il y avait d'autres petits groupes, ici et là, des parents ou des parents par alliance, qui se connaissaient les uns les autres et s'étaient dispersés dans différentes régions.

Les Apaches Mohaves[20] avaient leur propre territoire, mais ils ont été amenés ici eux aussi. Autour de 1871 le gouvernement des États-Unis a commencé à regrouper les Indiens sur la réserve. Cela valait pour les Indiens de Warm Springs comme pour les autres groupes. Toutes ces tribus ont été rassemblées sur ces deux réserves : San Carlos et Fort Apache[21].

Au début les Chiricahuas s'entendaient assez bien avec les Apaches de l'Ouest. Et puis, au bout d'un an, les Apaches de l'Ouest ont commencé à se durcir, à en vouloir aux autres tribus installées sur leur réserve, même si les Chiricahuas avaient été installés là de force et qu'on les avait contraints à y vivre. Quand les Apaches de l'Ouest, qui étaient chez eux avant que l'on nous mette dans cette réserve, commencèrent à en vouloir aux autres tribus, ils racontèrent des mensonges à l'agent et aux autres militaires pour se voir confier une

20. Il s'agit des Yavapais, que l'on confond trop souvent avec les Apaches Mohaves. Ils ne sont absolument pas Apaches et parlent une langue d'une origine linguistique totalement différente. Certains d'entre eux vivent encore sur la réserve indienne de San Carlos — *Opler*.

21. Fort Apache était le centre administratif de la réserve de White Mountain — *Opler*. San Carlos et White Mountain sont des réserves contiguës.

mission si jamais les Chiricahuas décidaient de prendre le sentier de la guerre.

C'est bien avant mon père et même bien avant le père de mon père que nous avons trouvé un nom pour les Apaches de l'Ouest : *Biniedine*[22]. Pour les anciens, cela voulait dire qu'ils étaient pas trop intelligents et pas très raisonnables. Il y a pas mal d'histoires qui prouvent que ce nom leur va plutôt bien. Il n'y avait pas beaucoup de mariages entre les Apaches de l'Ouest et les Chiricahuas. En tout cas, pas autant qu'entre les Mescaleros et les Chiricahuas d'ici.

Les scouts navajos poursuivaient les Chiricahuas qui avaient pris le sentier de la guerre, ainsi que quelques Indiens Pueblos et certains membres du « Peuple sans mocassins ». Ce sont des gens qui vivent en Arizona quelque part autour de Tucson. Je pense qu'il s'agit des Pimas, qui marchent toujours pieds nus. Quand ils ont des échardes dans la plante des pieds, ils se contentent de les frotter comme des fous sur le sol.

Et puis, en 1885, Geronimo a repris le sentier de la guerre. Certains de ceux qui se trouvaient alors sur la réserve ne lui en voulaient pas, loin

22. Littéralement « Peuple insensé ». Tous les groupes apaches de l'Ouest sont ainsi appelés par les Chiricahuas — *Opler*.

de là. À cette époque, le général Nelson A. Miles, le général Lawton (qui n'était encore que le capitaine Lawton), le capitaine Crawford, le lieutenant Gatewood et le sous-lieutenant Britton Davis dirigeaient la réserve.

Un soir, le général Miles a fait appeler George Noche, le père d'Uncus[23] et lui a dit : « Je veux que vous rassembliez des scouts chiricahuas pour rechercher les renégats. »

Le général Miles avait raison de réunir des scouts apaches qui connaissaient bien l'Arizona, l'État du Nouveau-Mexique, le Mexique, tous les points d'eau de ce pays difficile et toutes les pistes de la région. Le général Miles respectait énormément George Noche. Chaque fois que le général Miles voulait s'occuper des renégats, il s'adressait à lui.

Une fois que les membres de la petite troupe ont été rassemblés, ils ont reçu des munitions et des fusils Springfield de l'armée américaine. Pour tout vêtement, on leur a donné une veste, une veste noire d'uniforme. Pour distinguer ceux qui avaient été officiellement nommés et ceux qui ne l'étaient pas, ils devaient porter cette veste. Ceux qui n'étaient pas officiellement

---

23. Uncus, un Chiricahua aveugle d'un certain âge était alors vivant et travaillait comme interprète administratif à Mescalero au moment où ce récit a été enregistré — *Opler.*

nommés portaient juste des galons indiquant leur grade. George Noche fut nommé sergent-chef. George Noche connaissait parfaitement toute la région mais ce n'était pas quelqu'un d'important chez les Indiens.

Un peu plus tard, le général Miles a fait rappeler George Noche pour lui dire : « Je te donne deux jours et deux nuits et je te laisse décider de la meilleure manière de capturer Geronimo et sa bande. Avec mes soldats blancs, j'ai fait de mon mieux, jour après jour, nuit après nuit, pour m'emparer de Geronimo, mais j'ai échoué. Maintenant je te donne deux jours et deux nuits pour réfléchir. Au matin du second jour tu reviendras et tu me diras ce que tu as décidé. C'est pour cela que tu es là. » C'est ce que dit le général Miles à George Noche.

Alors, Noche a répondu au général Miles : « Je n'ai pas besoin de deux jours et deux nuits pour réfléchir. Je crois que je sais déjà comment capturer cet homme. Je vous remercie pour la belle confiance que vous me montrez en me confiant cette mission importante. Laissez-moi vous expliquer mon plan. Si jamais ça ne marche pas, demandez à quelqu'un d'autre. C'est tout. Mais, si vous êtes d'accord, nous partons dès demain. Voici mon plan. Il y a deux hommes ici, Kaitah et Martine. Je leur

parlerai demain matin et je vous les amènerai.
J'ai choisi ces deux hommes parce que Martine
et Kaitah ont beaucoup de parents dans cette
bande. Comme Geronimo est allié par mariage
à Kaitah, il ne pourra pas les tuer. Car personne d'autre n'en reviendrait vivant. »

Satisfait, le général Miles dit à Noche : « Très
bien, c'est ce que nous ferons. »

George Noche discuta avec Martine et Kaitah, qui l'accompagnèrent au matin auprès du
général Miles. Avec leur accord, il en fit des
scouts et leur donna un fusil et une mule à
chacun. Le lendemain, ils partaient pour le
Mexique en promettant au général Miles
que, lorsqu'ils auraient capturé Geronimo, ils
l'amèneraient à Fort Bowie en Arizona.

Les deux hommes sont partis, accompagnés
du lieutenant Gatewood du 6e de cavalerie. Un
jour ou deux plus tard, le 3e de Cavalerie et une
centaine de scouts indiens sont également partis à la recherche de Geronimo au Mexique. Au
même moment, les soldats mexicains poursuivaient eux aussi Geronimo dans l'Arizona, et
puis encore au Mexique. Il avait tout le monde
à ses trousses.

Crawford, ses soldats et ses scouts indiens
se trouvaient près de la frontière mexicaine.

Pour une raison quelconque, les soldats de Crawford se trouvaient plusieurs kilomètres derrière l'avant-garde, composée de Crawford et de ses scouts. Soudain, en contrebas d'une montagne, ils ont aperçu une troupe d'environ cinq cents soldats mexicains[24]. Ils étaient aussi à la poursuite de Geronimo. Ces soldats étaient dans la plaine et s'apprêtaient à monter vers eux. Mais ils ont fait halte. Les scouts indiens étaient avec le capitaine Crawford sur la crête. Les Mexicains, en ligne, étaient près de cinq cents alors que Crawford n'avait qu'une centaine de scouts indiens avec lui. Les officiers mexicains commencèrent à avancer vers eux. Soudain, au moment même où ces officiers s'avançaient un de leurs hommes s'est mis à tirer.

Alors Crawford s'est redressé et il a agité son mouchoir en criant : « Nous sommes des soldats américains ! Nous sommes des amis ! »

Mais les officiers mexicains se moquaient bien de ce que disait Crawford et l'un d'entre eux lui a tiré dessus. Alors il est tombé un peu plus bas sur des rochers. Pourtant, les Indiens lui avaient dit de ne pas grimper sur ce rocher mais lui, il n'aurait jamais pensé que les Mexicains

24. L'incident se situe le 11 janvier 1886.

tireraient. Il y avait un autre officier avec lui, qui s'appelait le second lieutenant Maus.

Les Indiens aimaient bien le capitaine Crawford. Après l'avoir vu tomber de ce gros rocher, l'un d'entre eux, qui parlait le mexicain, leur a dit : « Ne fuyez pas si vous êtes des hommes. Aujourd'hui vous allez apprendre ce que c'est que des hommes ! »

Mais les officiers mexicains répondirent par des insultes. Ils disaient : « C'est nous qui avons nettoyé la bande de Victorio[25] ! »

Les Indiens leur répondirent : « En tout cas vous n'êtes pas près de repartir d'ici. »

Les Mexicains se cachaient derrière les arbres. Deux ou trois par arbres, et ils criaient : « C'est nous qui avons tué Victorio et nous allons aussi vous tuer tous aujourd'hui. »

Alors les scouts se sont tournés vers les deux mules qui portaient les sacs de munitions. Maus ne voulait pas que les Indiens s'en mêlent mais eux, ils disaient : « Ils ont tué notre chef alors au diable ce lieutenant et abattons-les tous. La moitié du groupe va dans cette direction et l'autre reste ici sur la crête. »

---

25. Victorio fut tué et son groupe quasiment annihilé en 1880 après qu'il eut rencontré un groupe de soldats mexicains en nombre supérieur sur le territoire mexicain — *Opler*.

Après avoir jeté les munitions sur le sol, ils se les sont partagées en s'en remplissant les cartouchières et les poches. L'un des groupes dit à l'autre : « Nous allons les disperser en les attaquant sur leur flanc. »

Les officiers mexicains savaient qu'ils étaient plus nombreux, alors ils avaient hâte de se battre. Ils n'arrêtaient pas de répéter : « Pourquoi est-ce que vous ne tirez pas ? Vous restez assis là à parler. Vous êtes quand même pas des femmes ! » C'est ce qu'ils disaient.

Alors un Indien a dit : « Très bien, préparez-vous. Maintenant nous allons vous tirer dessus ! »

Les Indiens étaient tous alignés le long de la crête et ils tiraient sur les Mexicains. Autrefois, les vieux rigolaient en racontant comment les officiers mexicains se tombaient les uns sur les autres en tentant de sortir de derrière les arbres. Les arbres étaient criblés de balles. Tous les officiers mexicains sont morts et le second groupe d'Indiens s'était aussi mis à tirer sur les soldats. Ils en ont tué une centaine avant que les autres ne s'enfuient.

J'ai entendu raconter cette histoire à l'époque et on la raconte toujours. Sundayman Benjamin, Paul, Cooney, Arnold et de nombreux autres étaient présents. Perico était sur le sentier de la

Guerriers apaches en position de combat

guerre avec Geronimo. Stephen et Evan Zozoni étaient également présents[26]. Certains scouts étaient avec d'autres groupes de soldats. Ils étaient nombreux après Geronimo.

Les scouts indiens se rassemblèrent après que les Mexicains eurent hissé le drapeau blanc. Ils rassemblaient leurs morts. Ils emportèrent Crawford, qui était encore vivant mais ne pouvait plus parler. Aucun médecin ne les accompagnait alors ils l'ont mis dans une sorte de caisse tirée par une mule. Les scouts ont fait tout ce qu'ils pouvaient mais Crawford est mort avant d'arriver à Fort Bowie.

Pendant ce temps-là, Kaitah, Martine, George Wratten et Gatewood faisaient leur chemin. L'armée et les scouts indiens recherchaient Geronimo dans toute la région. Kaitah et son groupe le poursuivaient aussi et des soldats les suivaient à quelques kilomètres derrière.

Arrivés au pied des montagnes de la Sierra Madre, ils ont vu tous ces types au sommet. Alors Kaitah a agité un drapeau blanc pour que les autres le voient. Kaitah dit que Martine avait peur d'aller là-haut. Martine était

26. De tous ceux dont nous parlons ici, seuls Arnold Kinjoni et Stephen Gaji sont encore vivants — *Opler*.

toujours à la traîne, en train de relacer ces chaussures ou de faire autre chose. Kaitah a dit aux deux Blancs qui les accompagnaient de rester dans la plaine. Ensuite il a commencé son ascension avec son drapeau blanc à la main. À mi-pente, il a regardé derrière lui mais Martine avait disparu[27].

Les hommes de Geronimo étaient assez bien armés et prêts à combattre. Avant que Geronimo n'apprenne qu'il s'agissait de Kaitah, il avait ordonné à ses hommes de ne laisser personne monter jusqu'à eux ou redescendre vivant.

Kaitah a continué de grimper jusqu'à ce qu'il soit en vue et qu'ils le reconnaissent. Alors il s'est immobilisé un instant parce qu'il pensait qu'ils allaient lui tirer dessus. Quand ils ont été sûrs qu'il s'agissait de Kaitah, ses parents lui ont dit : « Tu peux monter, personne ne te fera de mal. »

Alors c'est ce qu'il a fait. Il s'est assis et s'est adressé à tous. Martine n'était toujours pas

---

27. Il semble qu'il y ait eu des frictions entre le clan de Kaitah et celui de Martine concernant le courage de ce dernier à cette occasion. Ce qui est certain c'est que Kaitah était plus étroitement apparenté aux membres de la bande de Geronimo et qu'il courait en conséquence moins de risques. Kaitah comme Martine ont été de mes informateurs au cours de mes recherches ethnologiques sur le terrain. Kaitah est mort depuis mais Martine était toujours vivant en 1935 et l'est peut-être encore — *Opler*.

apparu. Il a dit à ces hommes : « Vous êtes tous mes amis et certains sont même mes parents par alliance. Indiens, je vous aime beaucoup et je ne veux pas que vous vous fassiez tuer. Les soldats sont à votre poursuite et ils arrivent de partout, de tous les États-Unis. Vous n'avez aucune chance de vous en sortir. Le plan du Département à la Guerre c'est de vous tuer tous, même si cela doit prendre cinquante ans pour vous capturer. Mais si vous vous rendez, comme le gouvernement souhaite que vous le fassiez, ils ne vous feront pas de mal. Tout est contre vous. La moindre écharde vous fait mal. La nuit, vous ne pouvez pas vous reposer tranquillement. Vous restez éveillés la nuit et vous vous enfuyez tous en courant au moindre bruit d'éboulis ou au moindre craquement de bois. Même la montagne est contre vous. Vous errez dans la nuit et vous risquez toujours de tomber dans un ravin. Les bêtes sauvages sont vos ennemies. Vous mangez en courant. Vous n'avez plus d'amis dans ce monde. Alors je vous en prie, mes amis, faites ce que vous demande le gouvernement. C'est pour ça que je suis monté. Je vous suis depuis des mois et ce n'est pas une vie agréable. Alors acceptez. Moi, je vis à l'agence. J'ai une vie tranquille. Personne ne m'embête ; je dors bien, je mange autant que je veux ; je vais où je veux ; je parle avec mes amis ; je me couche quand je veux et je dors d'un profond sommeil. Je n'ai peur de personne. J'ai mon petit lopin de maïs. En fait, j'essaie de faire ce que les Blancs veulent et il n'y a pas de raisons pour que vous ne fassiez pas pareil. Je le fais bien, moi, et je sais que vous pourriez le faire aussi. Alors acceptez tous, faites pour le mieux et revenez avec moi sur la réserve. Nous vivrons plus longtemps, dans la joie et la tranquillité. Je veux que vous redescendiez avec moi quand les soldats arriveront parce qu'ils voudront que vous descendiez dans la plaine pour parlementer avec eux. »

Alors tous les hommes ont répondu : « D'accord, on va faire ce que tu dis et nous allons redescendre. »

Kaitah continuait d'attendre Martine, qui ne s'était pas montré de toute la conversation. Et comme il commençait à s'inquiéter pour lui, il est redescendu un bout de chemin avant de le voir arriver en tendant l'oreille. Pour savoir s'il y avait des coups de feu je suppose. Lorsque Kaitah s'est approché de Martine il lui a ordonné de redescendre et de dire à Wratten d'aller chercher les soldats de l'arrière et de les faire venir dans la plaine aussi vite que possible. Martine a obéi.

Martine, à Fort Sill (Oklahoma)

À son retour, Kaitah mangeait et plaisantait avec les autres. Puis les soldats sont arrivés et ont rejoint le lieutenant Gatewood. Ensuite, ils ont envoyé un messager à Fort Bowie pour prévenir qu'ils tenaient Geronimo et que le général Miles ferait bien de venir à leur rencontre. Enfin, les hommes et leurs familles sont descendus de la montagne.

Ils ont discuté un moment et accepté d'aller à Fort Bowie. Un officier leur a appris que le

général Miles les rejoindrait en cours de chemin. Les Indiens n'avaient pas encore été dés-
armés et, ce jour-là, les soldats ont chevauché
aux côtés des Indiens jusqu'au crépuscule. On
ne les surveillait pas et certains d'entre eux
chevauchaient même à une certaine distance
tout en chassant. Le lendemain, le général
Miles les a rejoints. Il voyageait dans une diligence officielle. Le surlendemain, une nouvelle
rencontre a eu lieu, au cours de laquelle le
général Miles a demandé à Geronimo de bien
vouloir discuter avec lui. Selon Kaitah, le général Miles a dit : « Le peuple de ces trois États,
l'État d'Arizona, l'État du Nouveau-Mexique [28]
et le Mexique lui-même ont décidé d'appliquer
la loi et de vous ramener mort ou vif. On nous
a ordonné de vous poursuivre, et quand nous
recevons des ordres nous devons y obéir. Nous
sommes comme des esclaves. Nous devons
faire ce que le peuple des États-Unis nous dit
de faire. En Arizona et au Nouveau-Mexique
les gens n'aiment pas la façon dont vous les
avez traités. Vous les tuez, vous volez leur
bétail. Vous détruisez leurs maisons. Alors, ils
ont fait des lois pour que le Département à la

---

28. À cette époque bien sûr l'Arizona et le Nouveau-Mexique
n'étaient toujours que des territoires et non des États — *Opler*.

Guerre vous tue ou vous ramène vivant. Si vous combattez, nous vous tuerons. Si vous vous rendez, nous vous ramènerons vivant. Vous avez tué de nombreux colons et de nombreux soldats et vous avez volé leurs chevaux, leurs mules et leurs équipements. Les gens n'aiment pas cela. Vous voyez ces montagnes là-bas ? Si vous ne pensez pas que ce que je dis là est ce que vous avez de mieux à faire, je vous laisse retourner dans vos montagnes. Je vous laisse aussi toute une nuit et toute une journée avant de me lancer à la poursuite de votre bande. Ensuite je tuerai chacun d'entre vous, y compris les enfants. Mais si vous voulez retourner à Fort Bowie avec moi et vous tenir tranquille en respectant votre promesse comme les autres Apaches qui vivent à Fort Bowie et à San Carlos, alors c'est bien. C'est à vous de décider. Le gouvernement a dépensé plusieurs millions de dollars pour vous capturer. Vous avez pris bien des vies et détruit bien des maisons. Ces gens que vous avez détruits sont des humains comme vous. Ils voulaient juste vivre. Pourquoi avez-vous fait cela ? Regardez Kaedine [29]. C'était l'un des jeunes

---

29. Ce nom signifie « Sans Flèches » et indique que l'individu en question est si brave qu'il les a toutes tirées. Kaedine était l'un des principaux instigateurs des raids chiricahuas du début des

chefs de guerre les plus dangereux. Maintenant, il est avec nous. Il m'a rendu de grands services. Sa peine de deux ans dans une prison fédérale de Californie lui a fait beaucoup de bien. Depuis qu'il est revenu, il admet qu'il se conduisait mal. J'ai un grand respect pour lui, qui a su se transformer en ce brave homme qu'il est depuis qu'il s'est repris.

« Geronimo, Naiche et vous tous, membres de ce clan, vous pourriez faire aussi bien que Kaedine et peut-être même mieux. Au lieu de cela, tout sur cette terre se tourne contre vous et vous vivez, chiens errants que vous êtes, comme le coyote, en tendant des pièges aux innocents. J'ai reçu l'ordre de vous conduire à Fort Bowie où je vous mettrai en prison jusqu'à ce que je reçoive de nouveaux ordres de Washington. » Puis s'adressant à Geronimo, il dit : « Maintenant, j'aimerais vous entendre. »

Alors Geronimo a pris la parole. Il n'a pas dit grand-chose mais ce qu'il a dit avait beaucoup de sens.

« J'accepte de vous accompagner. Vous avez dit l'exacte vérité en disant que tout est contre

---

années 1880. Après sa reddition au général Crook en 1883, on lui infligea bel et bien la peine d'emprisonnement dont il est ici question. À la suite de sa libération il aida le gouvernement à pacifier le reste de ses congénères — *Opler*.

moi. C'est toujours ainsi que vous faites, vous autres Blancs. Vous avez toujours cette manière bien à vous de présenter ce que vous avez à dire comme si c'était la seule vérité possible. Mais il y a autre chose qui vous pousse à nous critiquer ainsi. La terre nous écoute. Le vent nous écoute. Le soleil nous voit et écoute tout ce que nous disons, toutes ces choses. La deuxième fois que j'ai pris le sentier de la guerre, c'était parce que vous aviez autour de vous tous ces espions indiens qui vous racontaient des mensonges à mon propos. "Geronimo va faire ceci", "Geronimo dit cela", "Vous devriez mettre Geronimo en prison", etc. Même certains de vos soldats blancs, lorsqu'ils me voyaient, moi et certains de mes hommes, faisaient des signes comme si on allait nous trancher la gorge. Tant que j'ai vécu sur le territoire de la réserve je n'ai rien appris de vous. Vous n'êtes pas venu me voir pour m'apprendre comment les autres vivent. Vous êtes là au milieu de ces soldats, mais quand avez-vous jamais essayé de m'aider ? Et maintenant vous me critiquez pour avoir tué quelques Blancs dans cette région. J'ai tué beaucoup de Mexicains, mais je n'ai pas tué autant de Blancs que vous le dites. Je connais certains de vos grands généraux. Vous devenez généraux parce que vous êtes de très bons menteurs. Si je vous traite de menteur devant vos soldats c'est parce que vous ne m'avez pas attrapé en vous battant. Aujourd'hui, général Miles, je suis venu ici avec mes hommes de mon plein gré mais je sais ce que vous allez faire ensuite. Je sais que vous allez dire : "J'ai attrapé Geronimo en combattant et je l'ai obligé à se rendre à moi." » Voilà ce que Geronimo a dit au général Miles.

« Je suis là et la terre, le soleil et les vents m'écoutent. Yusn [30] m'écoute. Je ne vous mens pas. Je dépose les armes et je ne demande pas grâce. Si vous le désirez, alignez-nous et fusillez-nous aujourd'hui ou demain. Je ne m'en soucie guère. Je prendrai la médecine comme un homme. Voici mon fusil. » Et lui et ces hommes ont déposé les armes.

Alors, le général Miles a dit en prenant les mains de Geronimo dans les siennes. « Non, ne pensez pas cela, Geronimo. Nous ne tuons pas les gens qui n'ont pas offert de résistance. Ce que j'ai dit tout à l'heure je le répète à présent. Je vous ramènerai à Fort Bowie et vous serez emprisonné jusqu'à ce qu'on reçoive les ordres

---

30. Yusn [parfois orthographié *Usen*] est un mot apache dérivé de l'espagnol *Dios*. Le « n » final est une marque signifiant « celui qui est » — *Opler*.

de Washington. Comme je l'ai également dit il y a quelques instants, je dois obéir aux ordres du Département à la Guerre. » Ensuite, le général Miles a ajouté : « Personnellement, je n'aime pas cette idée mais je suis soldat des États-Unis et je dois obéir aux ordres. Si je n'y obéissais pas, ils me mettraient aux arrêts exactement comme je vais vous mettre aux arrêts. Ne vous plaignez pas de ce qu'ils pourraient vous faire, car vous êtes la seule cause de tous vos ennuis. Vous ne devez vous en prendre qu'à vous-même. »

On a pris leurs armes et tout le monde se remit en route. Geronimo est monté dans la diligence et Naiche, Perico et les hommes importants chevauchaient aux côtés de Miles. Les hommes, les femmes et les enfants étaient gardés par les scouts indiens et des soldats de la cavalerie. Quand ils sont arrivés quelques jours après à Fort Bowie, Geronimo était déjà en prison. Ils ont tous été emprisonnés, même les femmes et les enfants. Ils ont mis les autres aux arrêts. Ils leur ont donné des pioches et des pelles pour creuser des fossés autour du fort. Il y avait aussi la petite bande de Chihuahua, une poignée d'hommes déjà emprisonnés à l'arrivée de Geronimo. Ceux-là aussi travaillaient sous surveillance armée.

*Les épouses, les sœurs, les mères des
guerriers de Geronimo avec leurs
enfants encadrés par l'armée*

Par contre, Mangas était encore en liberté avec son petit groupe de trois ou quatre hommes. Le général Miles avait dit à Geronimo : « Inutile de courir après Mangas. Cela voudrait dire des dépenses et des difficultés supplémentaires pour nos soldats. Il peut continuer s'il le veut, mais il n'ira nulle part parce que je sais que quand il saura que vous et Chihuahua avez fait la paix avec le gouvernement il ne restera pas une minute de plus isolé. Je sais qu'il rejoindra la réserve de San Carlos ou celle de Fort Apache. »

La bande de Chihuahua, capturée la première à l'automne 1886, avait été incarcérée à Fort Marion, Saint Augustine en Floride. C'est l'un des plus vieux postes américains, au bord de l'océan. À l'époque des grandes marées, les vagues viennent frapper contre le bâtiment. C'est un vieux fort espagnol fait de pierre et de ciment.

La bande de Geronimo, second groupe à avoir été capturé, a d'abord été envoyée à San Antonio, au Texas, où elle a passé plusieurs mois.

Le troisième groupe déplacé se composait des Indiens paisibles qui vivaient à Fort Apache. Quand tous les scouts indiens sont revenus de l'expédition et alors qu'ils pensaient pouvoir être tranquillement chez eux à Fort Apache, on les a fait appeler et on les a fait mettre en rangs[31]. Ensuite, le commandant de la place a ordonné aux soldats de leur confisquer leurs cartouchières, leurs munitions et leurs fusils. Sur son ordre, les soldats ont enfermé tous les scouts dans l'écurie et ont monté la garde durant des jours et des nuits. Ces mêmes hommes, avec lesquels ils avaient mené l'expédition contre Geronimo. S'ils voulaient uriner, les soldats les accompagnaient.

Après tout ce que ces Indiens avaient enduré pour le bien des habitants de ces deux États, ils leur ont fait ça. Jusque-là, beaucoup de ces scouts et la plupart des autres Indiens avaient travaillé la terre sur le territoire de l'agence. Certains avaient des moutons, d'autres des chèvres, des mules, des chariots, des harnais, d'autres encore avaient des chevaux et même de belles selles. Les scouts chiricahuas ne comprenaient pas ce qui leur arrivait.

Ce soir-là, les Apaches de l'Ouest étaient en pleine cérémonie et les femmes dansaient. Personne ne se méfiait quand soudain les chariots

---

31. Les scouts indiens dont on parle ici sont les Chiricahuas qui ont assisté le gouvernement au cours de la campagne menée contre Geronimo — *Opler*.

« A group of hostiles »,
photographie prise à
Austin au Texas en 1886,
durant la transportation
des Chiricahuas. Les
troisième et quatrième
en partant de la droite
sont Martine et Kaitah

sont arrivés. Ils ont rassemblé les enfants, les femmes et les vieillards dans les camps en contrebas du fort avant de les faire grimper dans les chariots. Personne n'avait le droit de porter d'arme. Ils leur ont à peine laissé le temps de prendre ce qu'ils avaient avec eux : un châle, une couverture... On était sur le point de faire les moissons. J'avais dix ou onze ans à l'époque, et j'étais présent.

La gare la plus proche était celle d'Holbrook en Arizona. C'était à peu près à 150 kilomètres et peut-être même un peu plus. Je ne sais pas exactement. C'est là qu'ils nous emmenaient pour nous faire monter dans un train pour Fort Marion à Saint Augustine en Floride, l'endroit où Chihuahua était emprisonné. Ils nous ont trimballés de Fort Apache à Holbrook dans des chariots. C'était un voyage épuisant de deux ou trois jours. Une très longue route.

J'étais avec mon père, et ma mère était dans un autre chariot avec d'autres. Je n'ai pas su où elle se trouvait avant qu'on arrive à Holbrook. C'est là que je l'ai retrouvée. À Holbrook, les Indiens se sont lancés dans une grande danse à laquelle ont assisté tous les scouts apaches de l'Ouest, les nègres et même les Blancs.

On ignorait où on allait être envoyés après Holbrook. Certains pensaient qu'on nous

envoyait vers l'océan pour nous y noyer.
D'autres pensaient qu'on allait nous assassiner
d'une autre manière.

Tous ces Apaches Chiricahuas qui vivaient
paisiblement à Fort Apache, ainsi que les
scouts qui avaient aidé l'armée à capturer la
bande de Geronimo étaient expédiés en prison
à cause de ce que Geronimo avait fait.

Et je veux rajouter ceci : quand l'homme
blanc fait pousser du maïs, il plante deux
graines. Une bonne graine, qui rendra bien,
mais aussi une mauvaise graine qui tuera la
première si on les plante l'une à côté de l'autre.
Ainsi, aussi intelligents qu'ils prétendent être,
les Blancs ont planté à un moment donné la
bonne graine avec la mauvaise. Le nuage de
honte avec lequel ils ont traité ces Indiens
pleins de confiance et les scouts des États-Unis
continue d'assombrir nos jours.

C'est donc à Holbrook, en Arizona, qu'ils
nous ont entassés dans un train avant de nous
expédier à Fort Marion, Saint Augustine, en
Floride.

C'était la première fois que la plupart d'entre nous voyaient un train. Quand ce train est
arrivé en longeant la rivière avec le bruit de son
sifflet, certains ont affirmé qu'il était com-
mandé par l'éclair et ils se sont mis à prier le

train. J'ai vu nombre de vieillards et de vieilles femmes qui priaient. Ils disaient : « Bénissez-nous. Bénissez-nous où que nous allions. »

Ils avaient si peur du train que les enfants s'enfuyaient en courant dans les buissons. Les soldats devaient leur courir après pour les rattraper. Moi aussi j'ai fui. Et les soldats essayaient de me rattraper. J'étais terrorisé et je croyais qu'ils voulaient m'attraper pour me tuer. J'avais si peur. J'étais tellement terrorisé que je n'arrive pas à exprimer ce que je ressentais vraiment à ce moment-là.

Il nous a fallu à peu près une semaine pour arriver à Saint Augustine. Il y avait deux soldats postés à chaque porte. Le train s'est arrêté une seule fois, dans la plaine aux environs d'Albuquerque au Nouveau-Mexique, et on nous a dit de descendre. Tous les Chiricahuas pensaient que leur dernière heure était venue mais les soldats nous ont donné du pain sec. Le reste du temps nous mangions dans le train. Après, nous sommes remontés dans le train et on est repartis. C'est la seule fois où nous sommes descendus du train. Les soldats continuaient de nous faire des signes comme si on allait nous trancher la gorge à chaque fois qu'ils passaient dans le train pour nous verser du café. Les malheureux Indiens, ignorants comme ils l'étaient, pensaient vraiment qu'on allait les égorger.

Un scout nommé Massi a sauté du train[32]. Il a sauté quand nous traversions un terrain sablonneux quelque part dans le Colorado. Il a réussi à s'enfuir. Il avait participé à la bataille où Crawford avait été tué. C'est un parent de Stephen, Duncan et Benjamin. Il était de la famille du père de Duncan. Il est revenu ici et est resté assez longtemps sauvage. On ne l'a jamais vu en ville. Un jour, il a enlevé une femme qui ramassait des pignons à Rinconada. Il l'a obligée à le suivre en la balançant sur son dos avant de partir pour les montagnes de San Andreas. On l'a poursuivi mais sans pouvoir le rattraper.

Cette femme vit encore. Aujourd'hui, elle est la femme d'un Hispano-Américain. Un jour, elle a raconté que Massi l'avait renvoyée chez elle avec tous les enfants. Et il y en avait beaucoup. Ils sont tous morts sauf un. Elle est mariée avec un Mescalero. Ces enfants sont nés

---

32. Cet individu a été confondu avec Apache Kid et est bien souvent appelé ainsi par les Blancs qui vivent dans les environs de la réserve indienne de Mescalero — *Opler*. Apache Kid a grandi à Globe en Arizona. Enrôlé parmi les scouts de San Carlos, il devient un hors-la-loi en 1887 suite à une fusillade. Après une période d'emprisonnements, de fuites et de coups de main, il disparaît sans laisser de traces en 1894.

en pleine nature sauvage. C'était une Mescalero. C'est une parente de Marion Simms[33], qu'elle appelle cousin.

Dans ce train, comme on était assis, on dormait comme on pouvait. On avait mis les gamins dans les galeries où on met d'habitude les bagages.

On est arrivés les derniers à destination, la nuit, à la lumière de la lune, vers dix ou onze heures du soir. C'est un grand bâtiment de ciment et de pierre. Il y a une grande tour. C'est tellement sombre que même le jour il faut avoir une lanterne. Les donjons ne contiennent rien d'autre que des boulets de canon et des munitions. Un grand espace d'à peu près quinze mètres de large fait tout le tour, bordé par un mur de ciment de près d'un mètre cinquante pour éviter qu'on tombe. À chaque angle de ce mur il y a un autre espace, une petite tour en pierre et en ciment avec des fenêtres de chaque côté. C'est sans doute une tour d'observation. Sur la grande plate-forme, ils avaient disposé des tentes militaires serrées les unes contre les autres. Nous, c'est là-haut

---

33. Marion Simms était une personnalité importante chez les Apaches Mescaleros de la réserve.

L'entrée de Fort Marion, Floride, vers 1863

qu'on était. Sur un sol en ciment et on n'avait pas le droit de bouger de nos tentes. Il fallait rester où on était.

Il y avait aussi la grande porte du bas par laquelle ils nous ont fait entrer et qui était gardée par des soldats. Les Indiens n'avaient pas le droit de franchir cette porte sans autorisation. Seuls quelques-uns d'entre nous avaient le droit de sortir.

Ils ont commencé à envoyer les enfants à l'école. En tout cas, ceux de quatorze ou quinze ans qui pouvaient y aller. Le matin ils libéraient ces pauvres gosses et sans même tenter de les habiller comme eux, ils les expédiaient à l'école. Pieds nus ou seulement chaussés de mocassins, ils étaient obligés d'aller à l'école catholique de la ville. Ils portaient leur pagne et des chiffons roulés autour de la tête et ils allaient jambes nues. On les a envoyés dans cette ville à l'école catholique jusqu'à ce qu'elle finisse, une nuit, par brûler. Et tous les soirs, les enfants chiricahuas retournaient en prison. On les surveillait et on surveillait aussi les vieillards.

Plus tard, le général R. H. Pratt (qui n'était alors que capitaine) fut nommé superintendant de l'école indienne de Carlisle en Pennsylvanie[34]. Il arriva à Fort Marion et prit tous les enfants placés sous l'autorité du Département à la Guerre. Il les a fait embarquer sur un navire à destination de New York, où ils ont pris un train jusqu'à l'école indienne de Carlisle. Certains de ces enfants vivent encore aujourd'hui (Duncan Balachu, Arnold Kinzuni, Charlie Isti, Dora Isti, Hugh Chee, Asa Dat-ogi, David Kaja

---

34. Voir la note 5, p. 45. Avant de s'occuper de Carlisle, Pratt commandait aux geôliers de Saint Augustine, où étaient enfermés des Cheyennes et des Kiowas avant l'arrivée des Chiricahuas.

Un groupe de jeunes Chiricahuas
juste après leur arrivée à l'école de Carlisle,
mars 1887

et d'autres). Il y en avait une centaine. Ceux-là ne sont restés qu'un mois à Saint Augustine.

Je vous ai dit que le premier à avoir été emprisonné sur place était Chihuahua et que le plus grand nombre, la tribu des Indiens paisibles, était arrivé ensuite. Je ne sais plus depuis combien de mois nous étions là lorsque Geronimo et sa bande nous ont rejoints. Ils l'ont immédiatement embarqué pour Fort Pickens, sur l'île de Pensacola. On pouvait voir cette île de Fort Marion.

Nous étions là depuis environ six mois et ma mère, ma sœur et moi vivions dans l'une des tentes dont je viens de parler. Ils nous donnaient du pain et de la viande tous les jours et on faisait notre propre cuisine. Il n'y avait pas de bois dans cet endroit. On nous en donnait un petit peu et il y avait un endroit pour cuisiner dans l'un des donjons en dessous de nous. On devait dormir à même le ciment. Il faisait chaud en Floride. La banane pousse là-bas.

La vie était dure. J'étais un gosse et je n'avais jamais rien volé, jamais fait de mal à personne. Ils m'ont gardé prisonnier pendant vingt-sept ans[35] ! Pareil pour Blind Tom. Il était aveugle. Il ne faisait de mal à personne mais il a été fait prisonnier lui aussi. On devait l'accompagner partout. Si on m'offrait cent ans de plus d'une vie comme celle-là, je dirais non. Beaucoup sont morts à Saint Augustine. On n'avait pas l'habitude de ce climat.

Comme je vous l'ai dit, les bandits les plus dangereux – Geronimo et les siens – ils les avaient expédiés sur une île au large, à Pensacola. Geronimo, Naiche, Perico, Jasper

35. De 1886 à 1913, date à laquelle les Chiricahuas sont retournés sur leur terre.

Kanseah [36], Jewett Tisnoltos et Asa y étaient. Chihuahua n'y était pas, lui. Il avait pris le sentier de la guerre avec Geronimo dès le début mais quand les choses ont commencé à chauffer pour eux, ils se sont séparés de la bande de Geronimo et ont été pourchassés jusqu'à Fort Bowie, en Arizona. Ça se passait en 1886. Ce sont les premiers qui ont été exilés. On les a envoyés en Floride (Chihuahua, Ozoni, son frère, Eugene, Ramona, Hosea Second et les autres). Il paraît qu'ils étaient tous parents. Les femmes et leurs familles avaient été exilées également. C'était à peu près un mois après que Geronimo fut capturé.

Kaitah et Martine ont été mis avec les gens de Geronimo. Ils avaient grimpé tout en haut de la Sierra Madre pour convaincre Geronimo de se rendre. Ils avaient rendu un grand service au gouvernement et pourtant ils étaient prisonniers ! Ils les ont envoyés à San Antonio au Texas où ils sont restés emprisonnés près d'un mois. Tous les scouts qui avaient participé à la capture de Geronimo ont fini par retrouver le chemin de Fort Apache. Certains ont mis une semaine et d'autres plus longtemps. Ils

36. Jasper Kanseah était chef de la police de Mescalero quand ce récit m'a été fait — *Opler*.

revenaient à pied. Leurs pieds étaient dans un état lamentable et certains étaient quasiment morts de faim. Ils étaient immédiatement emprisonnés.

J'ai déjà dit que la bande de Geronimo était à Fort Pickens sur Pensacola, une île proche de la côte où on était. On savait qu'ils étaient là parce que lorsque le navire militaire a quitté le rivage pour cette île, des Indiens qui se trouvaient là les avaient vus monter à bord. Mais ils ne venaient jamais nous voir parce qu'ils n'avaient pas le droit de sortir. Les femmes et toutes les familles des hommes de ce groupe étaient également sur cette île [37].

Reed College, Portland, Oregon

---

37. Le récit de Samuel Kenoi tel que nous le livre Morris Opler s'arrête ici. Geronimo, dans ses *Mémoires*, indique que les familles des hommes de Pensacola ne vinrent les rejoindre qu'en mai 1887. Après deux ans passés sur cette île, ils furent transférés en Alabama pendant cinq ans, puis à Fort Sill, avant de rejoindre leur pays, du moins pour ceux qui étaient encore en vie, en 1913.

Geronimo et Naiche à Fort Sill

Table

Achevé d'imprimer en janvier 2017
sur les presses de Novoprint

Imprimé en Espagne

Dépôt légal : février 2017